C000179786

EE BY GUM, LORD!

By the same author:

Basic Broad Yorkshire

The Yorkshire Dictionary of Dialect, Tradition & Folklore

Ee By Gum, Lord!

The Gospels in Broad Yorkshire

Arnold Kellett

Illustrated by Mel Whittaker

First published in 1996 by
Smith Settle Ltd
Ilkley Road
Otley
West Yorkshire
LS21 3JP

ISBN PB 1 85825 065 X
HB 1 85825 069 2

British Library Cataloguing-in-Publication data:
A catalogue record for this book is available from the British Library.

Set in Minion

Designed, printed and bound by
SMITH SETTLE
Ilkley Road, Otley, West Yorkshire LS21 3JP

Contents

Acknowledgements

Thanks, as always, go to my wife, Pat; to Mel Whittaker, who provided the line drawings and watercolours, and designed the cover; and to all who have shown interest and given encouragement, both dialect speakers and fellow Christians, including the Most Reverend Dr David Hope, Archbishop of York, who is a vice-president of the Yorkshire Dialect Society.

Introduction

This is a version of parts of the Gospels retold in Yorkshire dialect. The county of broad acres has a whole range of dialects, but I have chosen to write in the one that is still understood by the greatest number, namely that of the West Riding. From long experience in the Yorkshire Dialect Society I know that readers in the North and East Ridings will be able to adapt to it very easily. Partly for their benefit, but mainly for those readers whose knowledge of dialect is rusty, I have added a glossary.

Even the West Riding has variations in dialect and, to be specific, I have written this in the dialect I knew as a boy in the Pennine village of Wibsey, just south of Bradford, on the fringe of Wilfred Pickles territory. Some of the material included here was, in fact, read on television by Wilfred, who wonderfully brought out new shades of meaning with his rich Yorkshire tones. I have also read some of this myself on local radio and to various audiences, as a result of which there have been many requests for a version in print.

This kind of 'broad Yorkshire' is, alas, rarely heard today, and even Yorkshire folk, let alone off-comed-uns, may find themselves looking up words in the glossary. Yet, although no longer in everyday use, this dialect — with its quaint vocabulary and idiomatic turns of phrase — is still understood and loved. Like other members of the Yorkshire Dialect Society, which celebrates its centenary in 1997, I enjoy writing and speaking in what is fast becoming a kind of dead language, surviving only as Yorkshire accent and intonation. So at least this is an attempt to pin it down, while it is still remembered and cherished. Ideally, of course, the following pages should be read aloud — by an authentic Yorkshire speaker. And this means not only using the right accent, but also the right intonation or 'tune'. So much meaning can be conveyed in dialect by, for example, the rising tone in 'Aye?' or the lower tone of 'Nay!'.

I must emphasise that this is not a 'translation' of the Gospel stories into Yorkshire dialect, but a retelling of them by a homely old Yorkshireman who has a sense of humour, as well as a love of his Lord — rather like some of the old-style West Riding preachers I remember as a lad. Though the style is light and bright, with touches of humour and humanity, this is by no means a gimmick or a send-up of the Gospels, *but a serious attempt to bring out the meaning of familiar passages, looking at them afresh, from an unfamiliar angle.*

Rather than attempting to cover everything in the Gospels, I have selected what I hope is a balance between narrative and teaching, using not only passages ideal for retelling in dialect, but also the more difficult and sensitive parts concerning the Last Week. I felt I had to include the latter to give a sense of completeness and to reflect what was so important to the Gospel writers. As a general framework I have used the Synoptic Gospels, and tried to blend and harmonise wherever necessary. The material is presented in roughly chronological order, and is intended to be read through in sequence, rather than dipped into.

The narrator, for all his earthy Yorkshire speech, is not as naïve as he may sound, and has done his exegetical homework. He knows, for example, as most people do not, that the original Greek in the Lord's Prayer does not say 'Deliver us from evil' but 'from the *Evil One*', ie from the Devil. So he is absolutely right to refer at this point to 'Owd Nick'. Other ideas expressed here, which may strike the reader as novel, are supported by biblical scholarship, and the writer's own experience of teaching and preaching the New Testament for many years, as well as a memorable visit to Israel to see the real Gospel background.

Finally, if anyone should think it irreverent or gimmicky to retell the Gospels in 'broad Yorkshire', I would point out that Jesus and the disciples spoke in a 'northern' dialect — that of the Galilee area. We know this from the story of Peter in Jerusalem, cursing and swearing and denying that he even knew Jesus. He was recognised as one of the disciples by his Galilean speech (Mark 14:70). Indeed, if we had been able to listen to Jesus and the disciples speaking, I am sure it would have sounded not in the least like the equivalent of the Standard English and Received Pronunciation associated with the capital city, but like the robust provincial speech of ordinary working folk.

Though Jesus was uniquely eloquent and poetic, there is no doubt that most of what he said was in simple, local speech, as is evident from his immense popularity with the crowds. He was, after all, no ordinary rabbi or teacher, but one who had spent most of his thirty years working as a carpenter. In other words, I cannot think of Jesus as a man who 'talked posh', but as a speaker at home in the language of fishermen and farmers, rather as we hear Jesus speak in the York Mystery Plays.

So dialect — and especially Yorkshire dialect — might even have the advantage over Standard English in that here and there it can actually give us an authentic whiff of the Gospels. If this book helps anyone towards new insights into the life and teaching of Jesus, and encourages people to read the New Testament for themselves — in any version — then its publication will have been amply justified.

Arnold Kellett,
Knaresborough, 1996

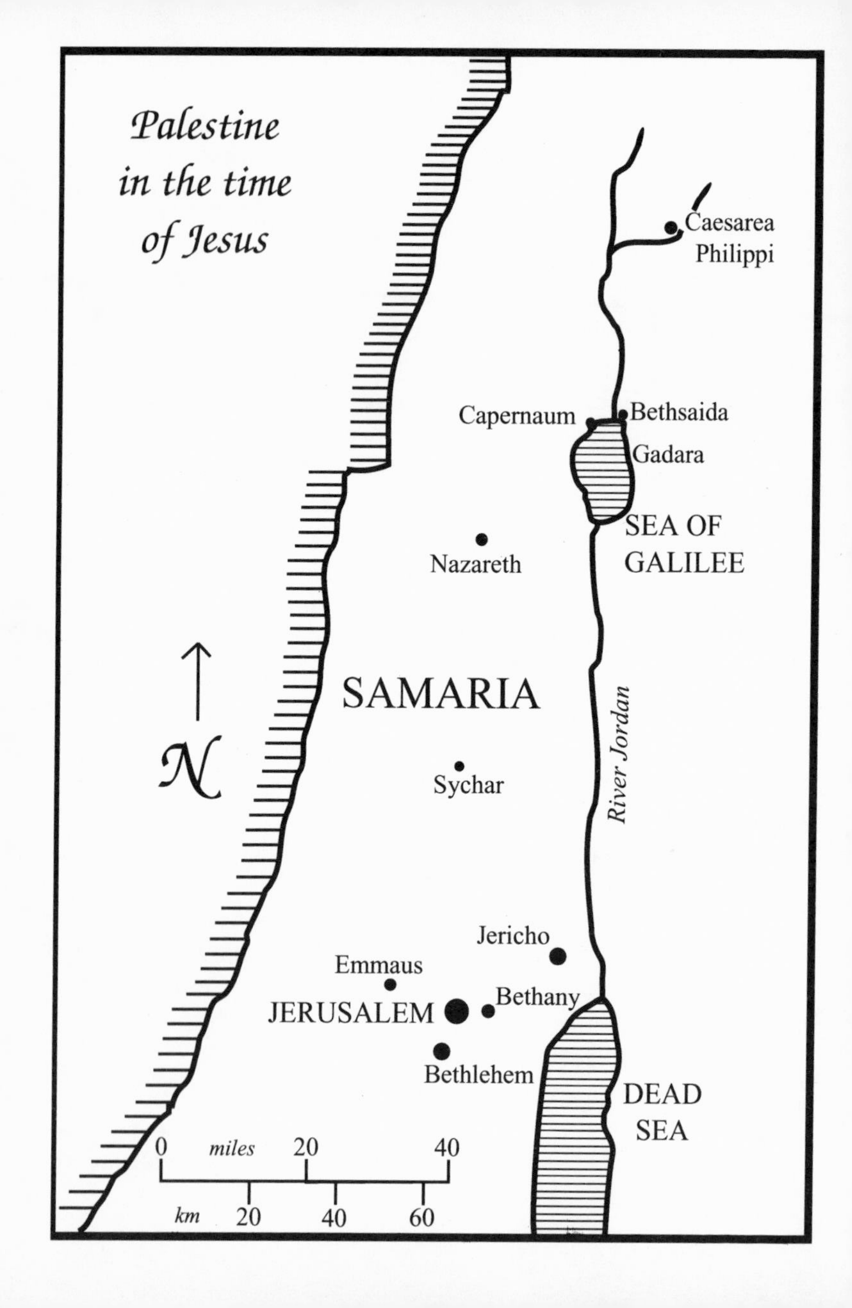
Palestine
in the time
of Jesus
Caesarea
Philippi
Capernaum
Bethsaida
Gadara
SEA OF
GALILEE
Nazareth
N
SAMARIA
River Jordan
Sychar
Jericho
Emmaus
Bethany
JERUSALEM
Bethlehem
DEAD
SEA
0
miles
20
40
km
20
40
60

T' Babby Born in a Mistal

'As-ta ivver thowt abaht *why* it wor in t' little tahn o' Bethle'em wheeare it all started? Well, it come abaht this rooad …

Ther' wor a joiner called Joseph, livin' i' Nazareth — that wor in t' north, tha knaws — nut all that far from t' Sea o' Galilee. But Joseph's ancesters wer' off-comed-uns — southerners, really. An' *their* native tahn wor a little place bi t' name o' Bethle'em, abaht five mile sahth o' Jerewsalem. Nah it so 'appened 'at t' Roman Emperor — a feller 'oo went bi' t' name o' Caesar Augustus — decided 'at 'e'd better reckon up just 'ah much brass 'e could gather i' taxes — from all 'is conquered territories, like. So 'e gives aht an' order 'at all t' fowk mun bi properly registered — an' this meant 'at the' 'ad to go back ter wheeare the'r forefatthers belonged, does-ta see?

So that's 'ah it come abaht 'at Joseph set off on this long journey, traipsin' all t' way dahn ter Bethle'em, leadin' a donkey on which sat 'is wife Mary.

Well, yer can just picture 'em arrivin' i' Bethle'em, can't yer? Booath on 'em weary after all that travellin' — especially Mary, wi' all t' bobbin' up an' dahn on yon mooak. Ah wouldn't bi capped if yon donkey-ride didn't bring t' lass inter labour a while afooare t' babby wor dew — fer it wor born sooin after the' got theeare, tha knaws. An' Ah'll tell thi summat else. Ah allus see Joseph as a *gentle* sooart o' chap. Oh, a gurt strappin' feller, wi' rough carpenter's 'ands — but gentle an' kindly … An' Ah bet 'e did yon journey as slowly as 'e could, just ter mak it a bit easier fer Mary … An' that's why — ter my way o' thinkin' — when at last they ended up i' Bethle'em the' wer' t' last in t' queue. T' place wor throng wi' fowk — dozens o' families 'at 'ad come ter bi registered fer this 'ere Roman income tax business. An' ther' wor nowheeare fer Mary an' Joseph ter stay!

Ther' wor nobbut one deeacent-sized inn, an' when the' knocks on t' dooar, t' landlord oppens it, taks one look at 'em, an' 'e says: 'Sorry, lad. We'r full up!'

'Ee dear!' says Joseph, 'We've come monny a weary mile — all t' way thru Nazareth. An' t' lass is expectin' — an' sh's near 'er time. Can't tha fit us in *some*wheeare?'

'Well, it 'ould mean shiftin' someb'dy else aht', says t' landlord. 'But 'appen if tha could *pay* fer it, an' mak it worth the'r while—'

'Nay', says Joseph, 'Ah'm nobbut a joiner, an' these days us joiners addle next ter nowt. Ah'll gi'e thi all t' brass Ah've got — but it'll nut amahnt ter much.'

Well, t' landlord taks another look at Mary, sees t' state t' lass is in, an' 'e suddenly bethinks 'issen an' says:

'Sither! Go dahn yon steps, an' tha'll come to a mistal. Tha can doss dahn theeare. Ah'll admit it's a bit mucky, but ther's plenty o' cleean straw — an' t' beeasts 'll keep it nice an' wahrm fer thi. Tha can stay theeare till t' lass 'as 'ad 'er babby.'

Well, Joseph wor fair 'eart-sluffened 'at bein' offered a muck-'oile like yond ter doss dahn in, but it wor better ner nowt, so 'e thanked t' innkeeper kindly, an' led Mary dahn t' steps inter t' mistal. It wo'n't a wooden shed, tha knaws, same as the' show on Christmas cards, stuck aht in t' middle o' t' desert wi' a couple o' palm trees! No. It wor a sooart o' cavern, 'ollowed aht o' t' rock underneath t' inn … An' the'd ter share it wi' a beeast or two, an' all. Nut t' sooart o' place a lass 'ould 'ave chozzen fer 'er bairn's bi'thplace. But Mary wor past carin', an' while Joseph tethered up t' donkey (*'e'd* feel 'at 'ooame, reight enough), t' lass ligged 'ersen dahn in t' corner on a bed o' straw. Joseph med Mary as cooasy as 'e could — an' though t' Gospils say nowt abaht it, Ah reckon ther'd be a feew friendly fowk abaht, an' a woman to 'elp as t' midwife … An' later that neet, in yon bit of a mistal, Mary gev birth to 'er fust-born.

'It's a *lad*!', the' cried — an', tha knaws, Jeewish folk 'ould mak even mooare fuss ovver a lad bein' born ner wi do, 'cos they allus thowt 'at one day a lad 'ould bi born who'd be t' *Messiah*, t' Lord's anointed! Still, Ah dooan't suppooase the' thowt 'at *this* lad wor owt aht o' t' ordinary, nut when 'e wor born in a muck-'oile like yond — An' Ah bet the' wor a bit ta'en aback when Mary says:

'Ah s'll call 'im "Jesus", fer my little lad'll grow up ter bi t' Saviour of all mankind.'

Nah ther' wor a two-a-thri shepherds 'oo t' same neet 'appened ter bi aht i' t' fields near Bethle'em, sitting rahnd the'r campfire, keepin' watch ovver the'r sheep.

All of a sudden, says Sent Lewk, these 'ere shepherds see t' sky breeten up wi' a gloorious blaze o' leet 'at shines all rahnd 'em. Well, the'r flaid ter deeath! An' while the're cahrin' theeare on t' grahnd, as weak as watter, an' all of a dither, t' Angil o' t' Lord says tul 'em:

'Nay, there's nowt ter bi afeeared on! Ah've come ter bring thi some reight cheerful neews — neews 'at 'll gladden all t' fowk 'oo 'ear it. Ther's a little lad just been born i' Bethle'em — t' royal city o' David, tha knaws. An' this little lad is t' *Messiah*, t' Saviour of all mankind. An' does-ta knaw wheeare tha'll finnd t' Babby? Tha'll finnd 'im in a mistal, liggin' in a manger, all wahrm an' cooasy in 'is 'ippins.'

No sooiner 'as t' Angil finished 'is message than t' shepherds 'ear wonderful singin' 'at fills all t' sky — a sooart of Allelewia Chooarus sung bi thahsands an' thahsands of angil voices.

'Glooary ter God' the' sing. 'Glooary in t' 'ighest 'eaven. An' peace on earth, an' gooidwill sent dahn from 'eaven ter men!'

But this 'ere 'eavenly visitation wor a bit ovver-pahrin' fer t' shepherds. As Ah've said, at fust the' wer' flaid ter deeath. An' when it wor all ovver, the' wer' that capped the' just gawped at one-another. Then one on 'em says:

'Na *then*, lads! Wi mun go an' see if t' tale 'at t' angil 'as telled us is *reight*! Wi mun go inter Bethle'em an' try to finnd this 'ere babby.'

'But what abaht t'sheep?', says another on 'em.

'Oh, 'ummer ter t' sheep!' says t' fust shepherd. 'This is summat aht o' t' ordinary — it's a message from t' Almighty! T' sheep 'll nut come to onny 'arm. It's nobbut a mile away. Come on, lad. Frame thissen!'

So off the' go, an' by an' by the' finnd this little mistal, an' Mary and Joseph, an' t' babby liggin' in a manger.

'Can wi 'ave a peep at 'im?' axed one o' t' shepherds.

'Aye, tha can *that*', says Joseph, glad of a bit o' company, like.

'Ee! I'n't 'e grand?' says t' shepherd. 'E's that bonny an' tender 'e's same as a neew-born lamb ... What do the' call thi, then, little feller?'

'We'r bahn to call 'im Jesus', says Mary. 'Nah, if tha'll excuse mi, it's time fer 'is next feed.'

So Mary sam's t' bairn up aht o' t' manger, an' sits 'ersen dahn ter feed 'im. An' off t'shepherds go, thrilled ter bits 'at the've seen t' little Lord Jesus ...

Well, later on Mary and Joseph 'ave a visit from a different sooart o' fowk altogether — Wise Men bringin' the'r precious gifts o' gowd, frankincense an' myrrh. Tha can read abaht that i' Sent Mattheew's Gospil. An' then ther's Sent John 'at tells us 'at when Jesus wor born it wor nowt less ner God Almighty becomin' flesh an' blood, an' dwellin' among us. But what appeals ter me,

T' shepherds finnd t' babby liggin' in a manger.

tha knaws, is this simple, 'omely tale telled bi Sent Lewk. It's same as if 'e's sayin' 'at t' Lord really cares abaht ordinary fowk — same as yon shepherds — an' fowk wi' no brass, an' none o' t' comforts an' luxuries wi tak fer granted. It's summat we'r apt ter ferget at Christmastime.

T' Sad Tale o' John the Baptist

Tha'll 'ave 'eeard tell o' John the Baptist — a reight character, bi all accahnts, 'oo lived aht i' t' desert, near t' River Jordan. Ah suppooase some on 'em thowt 'e wor barmy, 'cos 'e wore queer clooase med o' camel's 'air, wi' a gurt leather belt rahnd 'is middle. An' does-ta knaw what 'e lived on? Locusts an' wild 'oney! That's t' tale 'at the' telled. Ah reckon it wor locust *beans*, really — them dried pods, nearly black, an' sugary when yer cracked 'em oppen, 'at wi used ter finnd i' them 'awpenny 'lucky-bags' when wi wer' kids. Nay, reight fair. When yer come ter think on it, mooast o' these 'ere 'oly-men wer' vegetarians — so 'e'd look well, eytin' insects! No. It wor locust beans 'at 'e lived on, wi' 'oney 'e'd ta'en from t' 'ives o' wild bees.

Nah, whether it wor 'cos the' thowt 'e wor a reight barm-pot, or whether it wor cos 'e wor a reight pahrful preycher, Ah dooan't knaw — but gurt crahds o' fowk came ter t' River Jordan ter see John the Baptist. An' when the' got theeare 'e gev 'em a reight grand sarmon or two — an' mooare ner the' bargained fo'!

'Yer mun all mend yer wicked ways!', 'e bawled aht tul 'em. 'Yer mun come an' bi baptised i' this 'ere watter. That'll be a sign 'at yer've turned ovver a neew leaf, an' are bahn ter start afresh — an' then t' Almighty can fergive yer sins … Oh, aye! Ah knaw why yer've come! Y're same as snakes wrigglin' aht o' t' rooad o' God's fiery wrath! But ah'll tell yer this much: it's no use bein' baptised an' *sayin'* yer've mended yer ways. Yer mun do summat *abaht* it — an' start ter bi gooid-livin' fowk.'

John simply ducked 'em under t' watter.

'What does-ta mean?', the' started axin' im. 'What mun wi do, like?'

'Well', says John. 'Suppoase tha's got two coits, an' tha knaws a poor chap 'at 'asn't got one to 'is back. Tha can start bi givin' 'im one o' thine. An', then, if tha's got plenty o' food, tha can share it wi' fowk 'at's baht a bite to eyt.'

Then some o' t' publicans — fellers 'oo collected taxes fer t' Romans — axed 'im what *they* should do.

'Tha mun tak nowt but what's rightly dew', says John. 'None o' this ovver-chargin' fowk.'

Ther' wor a two-a-thri sodgers theeare, an' all, an' they axed 'im what *they* should do.

'Tha mun't bi rough an' allus moitherin' fowk', 'e says. 'Tha mun bi fair an' square, wi' none o' this 'ooinin' fowk ter get brass aht on 'em, an' accusin' 'em when the've done nowt wrong. An' another thing: bi content wi' thi wages!'

Well, t' crahds wer' reight sewted wi' this sooart o' preychin'. It wor summat fresh to 'ear plain-speakin'. The' started comin' for'ard in the'r 'undreds ter bi baptised in t' Jordan. John simply ducked 'em under t' watter, an' then lifted 'em up, all weshed cleean, like — ready ter start a neew life.

An', tha knaws, some fowk wer' that ta'en wi' John 'at the' started sayin' 'at 'appen 'e wor t' Messiah.

'Nah, 'od on!', says John. 'Ah'm nooan t' Messiah. Nay. Ah'm nobbut a voice cryin' i' t' wilderness, preparin' t' way fer 'im…An' t' one 'oo comes after me is mightier ner me — so mighty 'at Ah'm nut fit ter stoop dahn an' undo 'is mucky sandals.'

'E wor talkin' abaht Jesus, o' course. John knew Jesus well, 'cos Elizabeth, John mutther, an' Mary, Jesus mutther, wer' cousins, d' yer see?

Well, one day, 'oo should turn up ter bi baptised but Jesus. John wor reight ta'en aback bi this.

'Nay, lad', says John. 'Ah can't baptise *thee*! It's t' wrong way rahnd. Ah mun come an' ax *thee* ter baptise *me*!'

'Ah mun do what God wants *all* fowk ter do', says Jesus. 'Ah mun be baptised t' same as ivverybody else.'

So Jesus went dahn inter t' watter o' t' River Jordan. But as 'e comes aht ageean 'e seeams ter see t' sky suddenly oppen up — an' it's as if God's 'Oly Spirit's comin' dahn an' settlin' on 'im, same as a dove. An' Jesus 'ears a voice from up yonder, an' all. It says: 'This 'ere is my well-loved Son — an' Ah'm reight sewted wi' 'im!'

What a grand start fer Jesus an' John! An' what a grand pair o' preychers the'd mak! Sooin afterwards, hahivver, John wor in a different sooart o' watter altogether — *'ot* watter! 'E allus spak 'is mind, did John, even if it meant criticisin' royalty …

Well, 'e'd spokken 'is mind ovver t' carry-on when Herod Antipas (one o' t' sons o' t' Herod 'at t' Wise Men visited) went an' wed a woman called Herodias. Sh' wor already wed to a brutther o' Herod's, so John telled 'is congregations 'at it wor shameful, 'cos it wor nowt less ner adultery … No wonder Herod 'ad John arrested an' clapped inter prison.

Nah, because John wor that pop'lar wi' t' crahds, Herod dursn't kill 'im. 'E just kept 'im theeare i' t' dungeon. But this 'ere neew wife, Herodias, wor as mad as owt ter see t' preycher 'oo'd called 'er an adultress still alive.

So one day, when Herod 'ad gathered all 'is mates ter celebrate 'is birthday, this Herodias saw 'er chance. After all t' eytin' an' suppin' the' browt on t' dancin' girls. An' t' best dancer of all wor Salome, t' dowter o' Herodias. So Herod called 'er up ter t' top table.

'Tha's done champion, lass!' says Herod, a bit fresh like, wi' all that wine 'e'd supped. 'Ah'm that chuffed Ah'm bahn ter gi'e thee a present. Tha can 'ave owt tha wants — even 'awf o' t' kingdom! Sither! Ah've promised thee i' front of all these mates o' mine! Nah, what does-ta want?'

T' lass said sh' didn't reightly knaw — but sh'd ax 'er mutther. So off sh' went — an' Herodias 'ad 'er answer ready:

'Tha mun ax fer t' 'eead o' John the Baptist', sh' says. 'Browt in on a gurt big platter.'

Well, Herod wor reight sickened when 'e 'eeard what sh' wanted. But 'e'd med this promise afooare all these fowk sittin' theeare waitin' ter see what t' present 'ould be ... So 'e could do nowt else but call ovver one o' t' sodgers an' gi'e 'im orders to go an' cut off John's 'eead.

An' by an' by t' sodger browt this 'eead in ter t' dinner party — carried it in t' same as a dish o' meyt. Just imagine! Then Herod presented it ter t' lass, 'oo went an' 'anded it ovver to 'er wicked mutther ...

A sad endin' — an' all because John preyched t' plain trewth. When tha comes ter think on it, summat similar 'ould one day 'appen ter Jesus.

Jesus is Tempted bi Owd Nick

Nah, Ah knaw varry well 'at some on yer thinks 'at Owd Nick's just a bit of a joke.

'Oh, aye. T' Divill', tha thinks, 'Satan. Yon feller 'at stokes boilers dahn yonder, tormentin' t' poor sowls in 'Ell! 'E's a pair of 'orns on 'is 'eead, clovven feet, a forked tail — an' 'e rants abaht wi' an ovver-sized tooastin' fork, dammin' an' blastin', an' as ugly as sin … '

But ther's nowt abaht that i' t' Bible, tha knaws. As a matter o' fact, there's nowt abaht what Owd Nick looks like at all — though i' one place it does say 'e's crafty enough ter dress 'issen up as an angil o' leet … But mak no mistak abaht this: T' Divill is *real* reight enough. Aye. An' Owd Nick is aht ter get as monny sowls as 'e can — an' 'e even 'ed a go at Jesus … It come abaht this rooad …

Jesus 'ad been i' t' desert fer fo'ty days an' fo'ty neets, livin' on next ter nowt, fastin' — doin' baht, so's 'e could think ovver what 'e wor bahn ter do, an' pray abaht 'is mission, like. An' after all this while 'e wor that 'ungry 'e could 'ave etten owt — an' Owd Nick saw 'is chance.

'Sither', 'e whispers ter Jesus, 'If tha's 'ungry, all tha needs do is turn yon stooanes inter looaves o' bread. If tha's t' Son o' God, ther's nowt abaht it! An' think o' this. Tha could feed all t' 'ungry fowk, an' tha'd be reight pop'lar!'

Jesus says to Owd Nick:

'It's plain enough in t' Scriptures. 'As ta nivver read yon verse in t' book o' Dewteronomy? Fowk are nut just bellies ter be filled wi' bread. Ther's mooare ter fowk ner flesh an' blood! Ivvery man an' woman is a livin' sowl — an' sowls need feedin' wi' *sperritual* food, wi' ivvery word 'at's spokken bi t' Almighty.'

'All reight, then', says Owd Nick, 'but if tha's t' Son o' God, tha can do owt tha' wants. What abaht yon verse i' t' Psalms 'at says t' Chozzen One 'll nivver 'urt 'issen, 'cos t' angils 'll allus look after 'im. Nay, tha could even chuck thissen dahn from one o' t' pinnacles o' t' Temple — an' tha'd nut come to onny 'arm! An' just think 'ah flabbergasted fowk 'ould be! Do a merricle same as yond, an' tha'd 'ave thahsands an' thahsands o' disciples!'

'Aye', says Jesus. 'But Ah want disciples 'at foller me 'cos the' believe t' Gospil, nut t' sooart o' fowk 'at's allus wantin' things *proved* tul 'em. It's luv an' faith 'at matters, Owd Nick. Tha can't win sowls bi puttin' on stunt performances!'

'Aye', persists Owd Nick, 'but Ah want ter show thi summat! Come up 'ere — an' look dahn yonder! From this 'ere mahntin top tha can see so far tha can picture all t' countries in t' world. Nah ... just imagine what a grand an' gloorious thing it 'ould be to belong all yond lot! Millions an' millions o' disciples — all doin' just what tha wants! Na, listen ter me, lad! If tha goes abaht t' job *my* way, an' if tha lets *me* 'ave a bit o' credit, Ah can *gi'e* thee all this.'

'Satan!' shahts Jesus. 'Ah've 'ad enough o' thee! As t' Scripture says, there's nobbut *One* ter bi worshipped — an' that's t' Almighty. Ah s'll nawther serve thee, nor 'earken to owt tha says. So tak thi 'ook, Owd Nick — an' dooan't thee come pesterin' me ageean!'

So t' Divill took is 'ook, an' left Jesus all bi 'issen in t' mahntins, an' off 'e went ter seek other fowk ter tempt. No wonder Jesus taught 'is disciples ter pray ter bi kept aht o' t' rooad o' temptation. E's allus arahnd somewheeare, waitin' ter lead fowk astray, is Owd Nick.

Jesus an' t' Fower Fisher-lads

Nah, when Jesus 'eeard 'at 'is 'awf-cousin, John, 'ad been put i' prison fer sayin' 'at Herod owt ter bi ashamed of 'issen, instead o' cahrin' quiet Jesus started goin' abaht preychin'. An' 'e preyched t' same as John 'ad done, abaht 'ah fowk should repent — turn from the'r sinful ways an' believe t' Gospil — t' Gooid News 'at God luved 'em an' would fergive 'em.

Though Jesus wor born i' Bethle'em, 'e grew up i' Nazareth, tha knaws — t' 'ill country i' t' north, nut far from t' Sea o' Galilee. This 'ere's a grand big lake — fresh watter, an' full o' fish.

Nah, one day Jesus is walkin' along t' shooare, when 'e sees two young fishermen — Simon, an' 'is brutther, Andrew, agate thrawin' aht the'r nets inter t' lake ter catch fish. Jesus calls aht tul 'em:

'Come wi' me, lads! Ah'm bahn ter learn yer 'ah ter catch *fowk!*'

Well, as sooin as the' 'ear Jesus say that the' just drop the'r nets inter t' watter an' go streight after 'im. Some fowk 'ould say what a daft thing ter do — goin' off ter foller a complete stranger. But — ter my way o' thinkin' — Jesus 'ad talked tul 'em afooare, an' this wor t' final challenge, like. It's as though 'e 'd said: 'Come on, lads! Mak yer minds up!'

Well, Jesus walks a bit further along t' shore till 'e comes to a big fishin'-booat awned bi a chap called Zebedee. In t' booat are Zebedee's two sons, James an' John, agate wi' t' nets, ready ter go aht fishin'. Jesus calls across tul 'em — an' i' two shakes of a lamb's tail, the' leave t' nets an' all t' tackle theeare in t' booat, an' wi'

In t' booat are James an' John, agate wi' t' nets, ready ter go aht fishin'.

the'r fatther an' t' other fishermen gawpin' at 'em, off the' go ter join Jesus, along wi' Simon an' Andrew.

Nah, that's t' tale as it's telled bi Sent Mark — but i' Sent Lewk's Gospil it says 'at it all really started one day when Jesus wor preychin' to a gurt crahd o' fowk on t' shooare o' Galilee. Ther' wor that monny on 'em 'at the' wer' practic'ly pushin' Jesus inter t' watter. So, 'e axed Simon — 'oo wor agate weshin' an' mendin' 'is nets — if 'e could 'ave a lend of 'is booat. Jesus got in, an' then Simon shoved t' booat aht onter t' watter, an' Jesus taught crahds from theeare, wi' plenty o' space between 'im an' 'is congregation, like, so the' could all 'ear 'im as plain as owt.

Nah, when Jesus 'ad finished — just ter thank Simon, Ah suppooase — 'e axed 'im ter shove t' booat further aht inter t' lake. An' 'e telled Simon's mates, James and John, ter do t' same wi' *their* booat. When the' wer' ovver deep watter Jesus telled 'em ter let dahn the'r nets.

'Nay, Lord', says Simon. 'We've been fishin' all neet long — an' we've caught nowt. But, go on, then. If it's *thee* 'at tells us ter do it, we'll try ageean.'

So the' let dahn the'r nets — an' would yer credit it? When the' pull 'em up ageean the're that full the're fit ter bust! An' when t' fisher-lads 'ad finished teemin' aht all t' fish from t' nets, booath the'r booats wer' that brussen the' looked as if the' wer' bahn ter sink! Simon wor thunner-struck — 'e'd seen nowt like it in all 'is born days. 'E gat dahn on 'is knees i' front o' Jesus an' blurted aht:

'Tha mun't 'ave owt ter do wi' *me*, Lord! Ah'm nobbut a sinful man!'

Simon an' t' others wer' that flabbergasted at t' size o' t' catch 'at the' just gawped, flaid as owt.

'There's nowt ter bi flaid on', said Jesus. 'From nah on yer'll bi catchin' mooare ner this — yer'll bi catchin' *fowk*!'

’Appen this wor afooare Jesus axed ’em ter leave t’ fishin’trade so the’ could foller ’im — but, onnyrooad, ’e started aht wi’ these fower fisher-lads as ’is fust disciples. One o’ these Latin words, is ‘disciple’. All it means is someb’dy who’s *learnin’*. The’ wer’ apprentice lads, really.

Ther’ wer’ twelve on ’em, all told. An’ the’ weren’t all fishermen, nawther. Matthew wor one of these ’ere publicans ’at collected taxes fer t’ Romans. An’ yet, funnily enough, ther’ wer’ two on ’em just t’ opposite — ’cos the’ detested t’ Romans. One wor Judas Iscariot (mooare abaht yond feller later) an’ t’ other wor another Simon. An’ so the’ wouldn’t get mixed up the’ called ’im ‘Simon t’ Nationalist’. An’ Jesus called t’ other Simon, ‘Simon t’ Rock’ — ‘Peter’ i’ Greek. Simon Peter wor t’ mooast important o’ t’ twelve. ’E wor a chap ’at oft rushed inter things, an’ blurted aht just what ’e thowt — but ’e’d plenty o’ gumption an’ enthewsiasm, an’ allus took t’ lead — so ’appen that’s why Jesus called ’im ‘t’ Rock’.

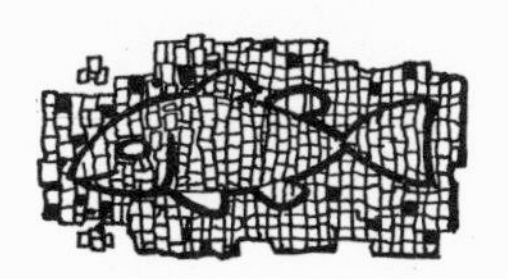

Jesus Cures all Sooarts of Ailments

As Ah've said, Jesus — same as John the Baptist afooare 'im — went abaht preychin'. But 'e went abaht dooin' gooid, an' all. Ovver an' ovver ageean tha can read of 'ah Jesus nobbut 'ad ter touch someb'dy an' say a few words ovver 'em — an' the'd bi cured.

Mind you, t' Gospils mak it plain 'at Jesus nivver set *aht* ter be a doctor-man, or owt like that. 'E wor fust an' foremooast a preycher — theeare ter save sowls, nut bodies. An' yet 'e felt that *sorry* fer fowk 'at 'e just couldn't 'elp 'issen — an' so if 'e saw somebody in t' crahd 'at wor reight badly, Jesus 'ould brek off preychin' an' mak 'em well ageean. T' trouble wor 'at crahds started follerin' 'im arahnd on accahnt o' these merricles o' healin' — an' nut to 'earken ter what Jesus 'ad ter say.

T' start of it all wor one day when Jesus wor preychin' in t' synagogue at Capernaum — a little tahn just by t' Sea o' Galilee. A synagogue, tha knaws, is a Jeewish place o' worship — nowt fancy, but plain an' 'omely, same as a chapill. T' congregation wor reight ta'en up wi' this young preycher — Jesus wor nobbut abaht thirty, does-ta see?

'We've 'eard nowt like this afooare', fowk wer' sayin', ''E speyks same as 'e knaws just what 'e's on abaht, wi' real authority — nut like them theeare Scribes an' Pharisees.'

But all of a sudden ther's a chap bawlin' aht o' top of 'is voice, interruptin' t' preycher:

'What's tha come 'ere fo'?', 'e shahts. 'Jesus o' Nazareth! What's tha got ter do wi' us? *I* knaw! Tha's come ter destroy us — that's what it is!'

'Tak no gaum on im, Jesus!' said fowk i' t' congregation. 'Yon feller's barmy — shakked i' bits!'

Jesus, hahivver, turned an' looked streight at this poor chap, an' bawled back — nut at *'im*, but at t' evil sperrits 'at t' poor sowl thowt 'at 'e wor possessed wi':

'Nah, 'od thi noise! An' come reight aht o' this man!'

Well, t' lunatic starts ditherin' an' shakkin' all ovver, then suddenly 'e lets aht a terrible screeam — an' it wor just same as if t' evil sperrits 'ad left 'im, 'cos ivver after that 'e wor as reight as rain.

Well, as sooin as t' service wor ovver Jesus left t' synagogue an' went ter wheeare Simon Peter lived — nobbut a short walk dahn t' street. Simon an' Andrew 'ad invited Jesus fer a bite an' a sup, along wi' James an' John. But when the' got theeare the' fahnd 'at Simon mutther-in-law wor i' bed wi' a fever — proper badly, sh' wor, liggin' theeare a reight poor object. T' Gospils mak no mention o' Simon Peter wife — though if 'e 'ad a mutther-in-law it stands ter reeason 'e mun 'a' been wed. 'Appen it wor t' wife 'oo got 'im ter tell Jesus 'er mutther wor badly — wi' t' flew, or whativver feverish ailments fowk 'ad i' them days.

When Jesus 'eeard 'at t' mutther-in-law wor poorly 'e goes an' stands bi 'er bedside, speaks a two-a-thri words — same as if 'e's commandin' t' fever ter leave 'er body — then 'e taks 'er bi t' 'and, an' 'elps 'er ter stand up an' walk abaht. An' t' strange thing wor this: nut only 'ad t' fever vanished, but t' mutther-in-law felt that well ageean 'at sh' started 'elpin' ter serve t' meal! What Ah'm tellin' thee is reight. Simon Peter wor theeare. 'E saw it all — and it wor' 'im 'at telled Sent Mark.

Well, tha can just imagine what 'appened when t' tale abaht Peter mutther-in-law spread rahnd Capernaum. Bi t' end o' t' same day — just as t' sun wor settin' — ther' wor a gurt crahd o' fowk gathered ahtside. It seeamed as if t' whole tahn wor theeare, all waitin' ter see if Jesus 'ould come aht an' cure mooare poorly fowk. The' weren't disappointed. Jesus comes aht, an' goes rahnd liggin' 'is 'ands on t' 'eeads of all t' fowk 'at wer' in a poor way, curin' ivvery kind of ailment, from them wrong i' t' 'eead, ter them that lame the'd ter bi carried theeare on stretchers — an' even fowk 'at wer' blinnd, or as deeaf as a pooast.

As time went on, an' as Jesus went rahnd all t' tahns an' villages in t' province o' Galilee, 'e cured no end o' fowk wi' all sooarts of 'orrible diseases, even leprosy. These lepers, tha knaws, wer' fooarced ter stay away from other fowk altogether. T' law said 'at the' 'ad ter keep strictly ter thersens an' nivver come near ter nobody. Nah, one day ther' wor a bunch o' these poor divills — ten on 'em, all told — rooamin' abaht feelin' reight sorry fer thersens — an' then the' saw Jesus, on 'is way dahn ter Jerewsalem. The' bawled aht to 'im from t' other side o' t' rooad — 'cos the' dursn't come onny clooaser:

'Jesus! Please, maister! Tak pity on us!'

Jesus called back tul 'em:

'All reight, then! Off yer go an' show yersens ter t' preeasts!'

Nah, t' law said 'at lepers could only lead a normal sooart o' life if some'ah t' leprosy cleared up, an' t' preeasts, 'avin' examined 'em, could give 'em a clean bill of 'ealth. So when Jesus telled 'em ter go ter t' preeasts 'e meant just one thing: the' wer' bahn ter bi cured.

Well, these 'ere ten lepers tak Jesus at 'is word, an' off the' go. An' as the' go the' see all t' nastiness clearin' away from the'r skin — an' the' can 'ardly believe the'r een. *One* on 'em — just one aht o' t' ten (an' 'e wor a *Samaritan*, by Gum!) — turns rahnd an' shahts aht praises ter God at t' top of 'is voice. Then 'e runs all t' way back an' thraws 'issen dahn at t' feet o' Jesus — ter gi'e thanks.

''Od on a minute!', says Jesus. 'Weren't ther' *ten* lepers cured o' the'r leprosy? Wheeare's t' rest on 'em? Wheeare's t' other nine? Is this lad 'ere — an' e's an off-comed-un, nut even a Jeew — is 'e t' only one 'at can bi bothered ter come an' gi'e thanks?'

'Nah, stand up, lad', says Jesus, 'Tha'd best bi on thi way. An' allus remember this: it's thi *faith* 'at's med thi well ageean.'

Jesus an' t' Bairns, an' t' Lad wi' t' Brass

One day, when Jesus wor preychin' ter t' crahds, some o' t' mutthers browt the'r little bairns, an' wer' tryin' ter get near 'im so 'e might lig 'is 'ands on 'em, an' bless 'em. T' disciples started tellin' 'em off, an' shovin' 'em back. But then Jesus saw what the' wer' doin' — an' 'e wor fewrious.

'Nay!', 'e said. 'Let t' little bairns come ter me! T' Kingdom of 'Eaven belongs ter childer like these. An' remember this: if tha can't 'umble thissen an' act same as a bairn, tha'll nivver get inter t' Kingdom of 'Eaven.'

Then Jesus sammed up t' bairns in 'is arms, ligged 'is 'ands on 'em an' blessed 'em.

Well 'e wor just settin' off ter preych somewheeare else when a youngish chap comes up an' kneels dahn i' front of 'im, an' says:

'Gooid maister, tell mi what Ah mun do ter live fer ivver an' ivver i' this Kingdom o' thine.'

'Tha calls mi gooid', says Jesus. 'Doesn't ta knaw 'at ther's nobbut One 'at's gooid — an' that's God? Well, nah. Fust of all tha mun keep t' Commandments.'

'Which commandments?', axes t' lad.

'Tha knaws what Ah mean', says Jesus. 'Tha'll nut murder. Tha'll nut commit adultery. Tha'll nut steal. Tha'll nut lie — an' tha mun show respect fer thi fatther an' mutther.'

'Maister', says t' lad. 'Ah've kept all these commandments ivver sin' Ah wor a bairn!'

Well, then Jesus looks at 'im wi' t' sooart o' look 'at showed what a grand young feller 'e thowt 'im ter be.

'That's champion', says Jesus. 'But there's one thing mooare 'at tha needs ter do.'

'What's that, maister?', axes t' lad.

'Tha mun sell all tha's got — an' give all t' brass ter t' poor. Then tha'll 'ave riches in 'Eaven — an' tha can come an' bi one o' my disciples.'

Well, tha should 'a' seen this lad's face! 'E looked reight dahn i' t' dumps. T' fact is, tha sees, 'e wor reight well-ter-do, wi' no end o' brass. An', sad an' crest-fallen, 'e slowly walked away — an' t' disciples nivver saw 'im ner mooare.

'Ah', says Jesus, 'What a job rich fowk 'ave ter get inter t' Kingdom of 'Eaven! It's easier fer a gurt big camil ter squeeze through t' ee of a needle!'

'Well, then', says one o' t' disciples, ''Ah can onny of us bi saved, if chaps like yond can't get in?'

'Ivverything's possible wi' God', says Jesus.

Then Simon Peter blurted aht, same as 'e oft did:

'Nay, Lord! Us lads 'ave left *ivverything* ter foller thee! What abaht *us*?'

'Well', says Jesus. 'If tha's left be'ind 'ome, an' wives, an' bairns, an' brutthers an' sisters, an' mutther an' fatther, ter serve me an' t' Gospil — tha'll get all this back a hundred times ovver. An' in t' next world tha'll live fer ivver … But ther's monny 'at's fust nah 'at 'll bi last then, an' t' last nah 'at 'll bi t' fust then.'

T' disciples wer' scrattin' the'r 'eeads ovver what this could mean, when Jesus started talkin' abaht goin' ter Jerewsalem, wheeare 'e'd bi ta'en an' put ter deeath … An' that wor summat the' could mak no sense on at all.

T' Gooid Samaritan

Nah one day Jesus wer' learnin' t' disciples 'is doctrines when one o' these 'ere lawyer chaps comes along — a Scribe, one o' them theeare experts on t' Jeewish law — an' 'e starts axin' Jesus awk'ard questions. 'E wor a sooart of 'eckler, like. Tha knaws t' type a feller it 'ould be.

'Nah then, maister', 'e says. 'Thee tell me t' way ter get to 'eaven.'

Well, that's nooan an easy question to answer — an' some fowk 'ould bi flummoxed by it. But Jesus just turns rahnd to 'im, an' 'e says:

'Nay, lad. Tha's a lawyer! Tha's suppooased ter knaw t' Owd Testament off bi 'eart. What does ta think thissen?'

A bit ta'en back, like, t' lawyer says: 'Well, tha mun luv t' Almighty wi' all thi 'eart an' sowl — and luv thi neighbour same as thissen.'

'That's a champion answer', says Jesus. 'If tha can live like that, lad, tha'll get to 'eaven.'

But t' lawyer felt a bit of a chump. Jesus 'ad med 'im look that daft — axin' a question when 'e knew t' answer all t' while. So t' lawyer says, a bit sheepish, like:

'Oh, aye? But Ah dooan't fairly understand that bit abaht luvvin' mi neighbour same as missen.'

'Na listen, lad', says Jesus. 'Let mi put it this way … '

Ther' wor once a chap walkin' dahn t' rooad thru Jerewsalem ter Jerichooa — a varry lonely stretch, tha knaws — miles from onnywheere, wi' nowt nobbut barren rocks — just t' place fer a gang o' thugs ter lig i' ambush … All of a sudden the' sprang aht from be'ind t' rocks, grabbed 'od o' this poor chap, brayed 'im, pawsed 'im, felled 'im ter t' grahnd, an' ran off wi' all 'is brass — an' the' took 'is clooase inter t' bargin … An' t' blighters left 'im theeare — liggin' in' t' gutter, 'awf deead, wi' nut a stitch on — an' gurt big brewses an' wounds, an' blood all ovver t' shop.

Nah then, it so 'appened at a preeast wor comin' dahn t' same rooad — one o' t' chaps thru t' Temple in Jerewsalem, tha knaws. Well, this 'ere preeast comes along an' then walks streight past — on t' other side o' t' rooad. He saw 'im all reight. Oh, aye. But 'e nivver let on! Didn't want ter get mixed up in owt, tha sees — an' 'appen 'e wor flaid o' t' robbers, an' all … Well off 'e goes, an' a feew minutes later 'oo should come along but another religious feller. This time it wor a Leeavite — a sooart of assistant preeast, like, another 'oly Joe 'at worked i' t' Temple … An' believe it or nut, *'e* does nowt nawther. 'E just walks past on t' other side o' t' rooad. 'E thinks: 'By Gum! This *is* a job. But it's nowt ter do wi' me!'

Then along comes a Samaritan. Samaritans, tha knaws, wer' sooart of 'awf-castes, off-comed-uns, really — 'awf Jeew an' awf Assyrian. T' Jeews wouldn't 'ave owt to do wi' 'em. An' this 'ere Samaritan feller 'ould 'a' been well within 'is reights if 'ed said: 'Ellow! This chap's a *Jeew*. Ah'm nooan bahn ter do owt fer t' likes of *'im*. Ah s'll nut lift a finger! 'E'd nut lift a finger t' 'elp *me*.'

But no! When 'e sees 'im, 'e feels reight sorry fer 'im. 'E gets off 'is 'oss, bends ovver 'im, cleeans 'is wounds wi' wine, an' soothes 'em wi' olive oil. Then 'e rives off one of 'is awn shirt laps an' bandages t' poor chap up.

'Dooan't thee fret thissen, lad!', 'e says. 'I' next ter no time, tha'll be as reight as rain.'

The' brayed 'im, pawsed 'im, felled 'im ter t' grahnd.

So ’e sams ’im up, sets ’im on ’is ’oss, and in a bit ’e comes ter t’ inn a’ t’ bottom o’ t’ pass, an’ the’ spend t’ neet theeare.

Next day ’e says ter t’ landlord. ‘Nah then. Ah want thee ter look after this ’ere chap, an’ get ’im reight ageean … Sither! ’Ere’s two silver pieces. If tha spends owt else on ’im Ah’ll pay thi what Ah owe thi when Ah come back.. Na, think on! Look after ’im.’

‘*Nah* then’, says Jesus turnin’ to this lawyer feller. ‘Which o’ these three wor t’ neighbour ter t’ chap ’at fell among t’ robbers?’

An’ — tha’ll nivver believe it! — this stuck-up lawyer can’t bring ’issen t’ admit it wor t’ Samaritan! ’E just says: ‘Ah reckon it t’ wor t’ chap ’at wor kind to ’im.’ (Wouldn’t lower ’issen ter mention ’im bi name, does-ta see?) But t’ lawyer didn’t ’ave t’ last word. No, by Gum! Jesus looks ’im streight in t’ een, an’ ’e says:

‘Off tha goes, lad! An’ think on — that’s ’ah tha’ mun learn to live *thissen*!’

It’s a funny thing, but when Ah read t’ story o’ t’ Gooid Samaritan Ah think o’ yon little sayin’ ’at the’ reckon is t’ Yorksherman’s motto:

’Ear all, see all, say nowt,
Eyt all, sup all, pay nowt,
An’ if ivver tha’ does owt fer nowt
Do it fer thissen!

Nay. That’s all reight fer a bit o’ fun. But it’s a looad o’ rubbish, really. Ah reckon nowt to it. It’s far better ter try to luv thi’ neighbour same as thissen.

T' Prodigal Lad

Nah it wor some varry stuck-up fowk knawn as Pharisees 'at unknowin'ly got Jesus ter tell one of 'is mooast famous tales. Tha sees, they'd been chunterin' an' carryin' on because Jesus wor spendin' a lot of 'is time talkin' ter tax-gatherers an' such-like — fowk 'at t' Pharisees thowt as common as muck. An' one day Jesus turns ter t' Pharisees, an' 'e says ...

The' wor once a well-ter-do farmer 'at 'ad two lads. T' youngest on 'em comes up to 'is fatther, an' 'e says: 'Fatther, will ta gi'e me my share o' t' land?' T' farmer must a' been reight ta'en aback bi this. T' deeacent thing ter do is ter cahr quiet till thi fatther *dees* afooare tha starts axin' fer thi legacy. 'Ahivver, t' fatther thowt 'e'd gi'e t' lad a chance — see what 'e could do on 'is awn, like — so 'e gev 'im 'is share o' t' land.

Well, would yer credit it? No sooiner does 'e gerr 'is 'ands on it than t' lad sells it all, taks all t' brass, an' goes off inter foreign parts. An' theeare 'e 'as a grand owd time, blewin' in all 'is brass, wi' all 'is mates, an' plenty o' fancy-women. 'E stays up till all 'ahrs, an' mooast o' t' time 'e's as drunk as a shovel.

Ah, but when 'e'd spent all 'is brass, it wor a different tale! 'E'd no mates then, ner lady-friends nawther. An' 'e ended up wi' a bit of a job on a farm, lookin' after t' pigs. By Gum! What a come-dahn fer a Jeew! The' think ther's nowt muckier ner a pig, tha knaws, does t' Jeews. But even though it sickened 'im off — 'e 'ad ter do it. Ee! an' 'e wor that 'ungry 'e could 'ave getten dahn on 'is 'ands an' knees an' etten t' pig-swill!

'E wor that 'ungry 'e could 'ave etten t' pig-swill!

Then, all of a sudden, t' lad comes to 'is senses. 'Ee, Ah *am* a fooil!' 'e says to 'issen. 'A reight blether-'eead! Ther's fowk workin' fer mi fatther 'at can eyt an' sup ter the'r 'eart's content. An' 'ere am I, pinin' ter deeath! Ah mun go back to mi fatther. Ah s'll say to 'im: 'Fatther, Ah've done wrong. Ah'm nooan fit to be a son o' thine. Gi'e us a job as one o' thi farm-workers. That's all Ah ax.'

So 'e sets off back 'ooam, an' after trailin' monny a mile 'e lands up i' regs an' tatters, an' wi' an empty belly. But a long while afooare 'e gets ter t' farm 'is fatther sees 'im, an' instead o' goin' off 'at t' deep end, 'e rushes aht to meet 'im, thraws 'is arms rahn t' lad an' kisses 'im — 'E felt that sorry fer 'im, tha sees.

T' poor lad starts t' speech 'at 'e'd re'earsed: 'Fatther, Ah've done wrong. Ah'm nooan fit to be a son o' thine —' But 'is fatther butts in, an' calls aht ter t' servants:

'Come on! Frame yersens! This lad's starvin' aht 'ere — frozzen ter deeath! Bring 'im summat wahrm ter weear — bring 'im mi top coit … An' 'e's nowt on 'is feet. Bring 'im a pair o' booits … An' go an' kill yon cawf i' t' mistal — t' one 'at we've been fettenin' up. We're bahn to 'ave a celebration … Ah thowt this lad o' mine wor deead — an' e's alive ageean! Ah thowt 'e wor lost — an' 'e's come back 'ooam!'

An' sooin the' wer' 'evin' a proper 'ooam-comin', wi' food, an' mewsic an' lively dancin'. It wor a reight gooid do, Ah'll tell thi!

But t' lad's elder brutther wor still workin' aht i' t' fields. At t' end o' t' day, when 'e got near t' 'ahse, 'e 'eeard mewsic an' dancin'. 'E says ter t' servants: 'What's up? What's all t' celebrations abaht?' 'It's thi' *brutther*!' they answer. ''E's come back 'ooam, an' thi fatther's as pleased as Punch, cos 'es nut come to onny 'arm.'

But t' elder brutther wor fewrious. An' 'e stood theeare i' t' yard, sulkin' away, an' refewsin' ter go in. In a bit, 'is fatther come aht to 'im, an' started pleadin' wi' 'im to come in, an' stop bein' such a jealous mawk.

'Nay, fatther', says t' lad. 'Ah've *slaved* fer thee all these years. Ah've worked mi' fingers ter t' booane, an' Ah've nivver done owt to upset thi. But tha's nut gi'en me even so much as a bit o' gooat-meyt, so Ah could thraw a party fer mi' mates. But as sooin as this son o' thine turns up, after chuckin' all that brass dahn t' drain, an' livin' wi' fancy-women — tha' goes an' kills t' fetted cawf fer '*im*!'

'Nay, *lad*', says t' fatther. 'Tha's allus been one o' t' family — an' tha can 'ave owt tha wants — but terday's summat special. Wi couldn't *but* mak a bit of a fuss. Wi thowt this brutther o' thine wor deead — an' 'e's alive ageean. Wi thowt e' wor lost — an' 'e's come back 'ooam.'

Well, that's wheeare t' stooary ends — but Ah bet it gev yon Pharisees summat ter think abaht — 'cos the' wer' just like t' elder brutther, tha knaws — allus takkin' a pride i' the'r achievements. An' when Jesus said 'at t' Almighty — like this fatther — 'ould fergive 'is childer, so long as they awned up the'd done wrong — the' didn't like it one bit … The' wer' funny-ossities wer' t' Pharisees — An' Ah reckon ther's plenty on 'em abaht terday, an' all … Nay, y'd 'a' thowt yon lad 'ould 'a' been glad ter see 'is brutther — t' self-reighteous monkey! Eh dear! Ther's nowt so queer as fowk.

T' Farmer an' t' Fig Tree

Ah suppooase 'at ivverybody 'as 'eeard tell o' t' Gooid Samaritan an' t' Prodigal Lad — Ah reckon 'at them's two mooast famous tales 'at Jesus ivver telled. But Ah bet there's nut monny on yer knaws t' tales Ah'm bahn ter tell yer nah.

T' fust on 'em's tucked away somewheeare i' Sent Mattheew's Gospil. It's nobbut a two-a-thri verses i' length, an' it's 'ardly ivver read i' church or chapill. It's a tale 'at Jesus telled ter t' preeasts and t' elders an' t' Pharisees an' such like, after the'd been fratchin' an' criticisin'. The' wouldn't tak an 'awporth o' nooatice of owt Jesus said, but just stood theeare moitherin' 'im wi' awk'ard questions.

So Jesus thowt it wor abaht time 'e turned t' tables on 'em — same as 'e did wi' yon lawyer chap Ah telled thee abaht — 'an so 'e says tul 'em …

Sither! Ther' wor once a farmer wi' two lads. One day 'e goes up ter one on 'em, an' 'e says: 'Nah, then, lad. We'r that throng i' t' vineyard tha mun dahn thi tools an' go an' work theeare terday. Off tha goes!'

'Reight, fatther!', says t' lad, full of enthewsiasm, does ta-see? 'Ah'll bi theeare i' quick-sticks!'

But 'e nivver went, tha knaws. Nivver went near. 'E got ta'en up wi' summat else, an' fergot all abaht it.

Meeantime, t' farmer finnds t' other lad, an' tells 'im t' same tale, tell's 'im 'e mun work i' t' vineyard, like. Nah this lad's a bit on t' lazy side, a bit of an idle-back. 'Appen that's why t' fatther didn't go to 'im i' t' fust place. T' lad says:

'Nay, fatther. Ah can't be bothered. Ah'm agate doin' summat 'ere. Ah'm nooan bahn ter t' vineyard. Fowk'll manage baht me.'

But, tha knaws, after 'is fatther 'ad left 'im, 'e began ter think it ovver. An' after a feew minutes 'e says to 'issen: 'Nay. 'Appen Ah'd better do as mi fatther says ... ' An' off 'e goes ter t' vineyard.

Ah reckon t' audience expected t' tale ter go on a bit longer — but all of a sudden Jesus comes aht wi' this 'ere question:

'*Nah* then', 'e says: 'Which o' these two lads did as 'is fatther telled 'im?'

Well, yer could 'a knocked 'em dahn wi' a feather! It seeamed such a daft thing to ax, t' sooart o' question yer'd put to a claht-'eead, someb'dy a bit slow on t' up-take, like. So the' stood theeare, lookin' gawmless, an' wonderin' if ther' wor a catch in it, an' then one on 'em says: 'Well, it wor t' *second* lad 'at did what 'is fatther telled 'im.'

'Aye', says Jesus. 'An' there's plenty o' fowk like t' second lad — fowk 'at you despise — t' tax-gatherers, an' such-like, an' even loose women. *You* lot think such fowk are beneath yer. But Ah'll tell yer this much: the'r far nearer t' Kingdom of 'eaven than you are — 'cos the've mended the'r ways, an' the'r willin' ter mak a fresh start i' life. But there's nowt 'll budge you lot. *You*'re like t' first lad — all talk. It's time yer learned to practise what y' preych.'

An' fowk's just t' same terday, tha' knaws, after nearly two thahsand year. There's plenty 'at reckon to be religious — but some on 'em's reight slack-set-up when it comes ter doin' t' Lord's will. An' there's some on 'em getten into a rut that deep the' can't see ovver t' sides. But, tha knaws, Jesus nivver gev onnybody up. It's as though 'e thowt ther' wer' just a chance 'at they'd mend the'r ways — an' buck thersens up, like yon second lad.

Nah t' same sooart o' teychin' — abaht givin' fowk t' chance ter pull the'r socks up — turns up in another little parrible Ah bet tha's nivver 'eard on. This time it's i' t' Gospil accooardin' ter Sent Lewk. Nobbut two-a-thri verses, same as t' other. An' this is abaht a farmer an' all. Mooast o' t' fowk 'at listened ter Jesus wer' from t' country, tha knaws, an' 'e took a lot of object-lessons from country life, so's the'd understand 'is meanin' …

Nah, there wer' this 'ere farmer, says Jesus, an' in one of 'is vineyards ther' wor a gurt big fig tree. I' them days figs wer' a varry important food, tha sees. (Speakin' fer missen, Ah like t' flavour — but all them little seeds gets under mi' teeth, an' 'urt summat crewel. *Syrup* o' figs is grand. Ah used ter love a spoonful o' that when Ah wor a lad — 'ahivver, ter get back ter t' tale.) This farmer 'ad 'ad 'is fig tree fer three year — an' still no figs on it. No sign of it frewtin' whativver. So one day 'e calls one of 'is men an' 'e says:

'Sither! Ah'm sick an' fed-up o' this 'ere fig tree. Ah've 'ad it three year nah, an' it's nivver done nowt. Tha mun cut it dahn. Fell it ter t' grahnd. Why should wi leave it 'ere takkin' up all this space, useless flippin' article!'

'Nay, maister', says t' farmer man. 'Give it another chance. Let's leeave it fer another year. Ah'll turn t' soil ovver, an' put some reight gooid 'oss-muck on it — an' 'appen when Ah've dug it an' manewered it an' prewned it, it'll do better next year. 'Appen next summer wi s'll finnd some figs on it. An' if nut, an' it's still barren — Ah'll fell it fer thi. 'Cos Ah'm like thee — Ah cannot abide owt 'at's nawther use ner ornament.'

Well, that's t' end o' t' tale. Wi dooant knaw whether t' fig-tree bucked itsen up, or nut. 'Appen it did, 'appen it didn't. The' can be varry stubborn, can a frewt tree — but tha nivver knaws!

An' it's just t' same wi' fowk. The' can carry on year in an' year aht, i' t' same owd rut … idle, selfish, nivver doin' nowt fer nooabody, full o' spite an' malice — or whativver the'r besettin' sin may be — But ther's just a *chance* 'at the' might come ter the'r senses an' mend the'r ways — same as t' Prodigal lad, same as yon farmer's second lad, same as t' barren fig tree … an' come to think on it — same as thee an' me!

T' Sarmon on t' Mahntinside

Tha'll 'ave 'eeard tell o' t' Sarmon on t' Mahnt — an' 'appen seen it shown i' fillums, wi' Jesus standin' on top of a mahntin, preychin' ter gurt crahds o' fowk. There's nowt like that in t' Gospils, tha knaws. It's Sent Matthew 'at tells abaht it, an' what '*e* says is this. It wor ter get *away* from t' crahds 'at Jesus went up a mahntinside, so 'e could talk to 'is disciples i' peace an' quiet, like. Matthew says 'at Jesus sat 'issen dahn an' talked ter t' disciples, teychin' 'em all sooarts o' grand an' wonderful trewths — some on 'em i' poetry, so as the' could learn 'em off bi 'eart, an' pass 'em on to others. Fer a start, ther's t' Beatitudes, eight sayin's 'at go summat like this ...

Tha mun think thissen blessed when tha's low i' sperrits, an' feels tha's nowt ter bi glad abaht. Think on! T' Kingdom of 'Eaven belongs ter thee!

Tha mun think thissen blessed when tha's sorrowful an' 'eart-sluffened. Think on! Afooare long tha's bahn ter bi cheered up an' gi'en neew strength!

Tha mun think thissen blessed when tha's 'umble an' ordin'ry, an' nut allus pushin' ter t' front. Think on! One day t' 'ole wide world 'll belong ter thee!

Tha mun think thissen blessed when what tha pines fo' isn't fer summat to eyt an' sup, but just ter do what's reight. *If tha does that, tha'll nivver pine ageean!*

Tha mun think thissen blessed when tha's willin' ter fergive, an' let bygones bi bygones. That rooad, tha'll finnd 'at fergive-ness'll bi shown ter thee.

Tha mun think thissen blessed when tha keeps thissen cleean an' streight — nut just top show, but deep dahn inside. It's nobbut then 'at tha can see God.

Tha mun think thissen blessed when tha brings abaht peace, an' stops fowk fratchin'. It's nobbut then 'at tha'll bi called one o' God's bairns.

Tha mun think thissen blessed when tha gets badly tret fer doin' what's reight — when fowk call thi names, an' 'ooin thi, an' tell all sooarts o' wicked lies abaht thi — an' all 'cos tha's a Christian. When this 'appens tha mun feel reight glad abaht it! I' t' fust place ther's a champion reward waitin' fer thee in 'eaven. An' i' t' second place, tha mun tak all t' nastiness as a compliment: this is just what fowk did ter t' famous prophets 'at went afooare thi.

An' 'ere's a two-a-thri other speyks o' Jesus, ta'en from t' Sarmon on t' Mahnt — some on 'em reight cappin', an' reight 'ard ter live up tul …

Tha'll 'ave 'eeard o' t' commandment 'Thou shalt do no murder'. What Ah'm tellin' thi nah, is this: Onnybody 'at gets angry 'at 'is brutther — baht a gooid reason — is i' danger o' God's judgement …

Tha'll 'ave 'eard o' t' commandment 'Thou shalt nut commit adultery'. What Ah'm tellin' thi nah, is this: Onny man 'at looks at a woman an' *wants* ter commit adultery wi' 'er, 'as done it already — in 'is 'eart …

Tha'll 'ave 'eard t' sayin' ''An ee fer an ee, an' a tooith fer a tooith'. What Ah'm tellin' thi nah, is this: Dooan't gi'e back what tha gets. If a chap clahts thi on t' cheek — let 'im claht thee on t' other, an' all! If a chap wants thi jacket — give 'im thi top coit inter t' bargin! If tha's fooarced ter go a mile — go one extra, an' mak it two mile! If a chap axes thi fer summat, gi'e 'im it. If 'e wants ter borrer summat, lend 'im it!

Tha'll 'ave 'eeard t' sayin' 'Tha mun luv thi neighbour — an' 'ate thi enemy!'. What Ah'm tellin' thi nah, is this: Luv thi enemies, an' pray fer fowk 'at's bein' nasty ter thi … Nivver ferget 'at t' Almighty Fatther sends 'is sunshine an' rain dahn on t' gooid an' bad alike … Nay, if tha's nobbut nice ter fowk 'at's nice back ter thee — what's clever abaht that? Even t' tax-collecters do t' same! An' if tha' nobbut speyks ter fowk 'at speyk ter thee, what's special abaht that? Even t' pagan Romans do t' same! No. What tha mun aim at is doin' what's *reight* — tryin' ter be perfect, same as thi 'Eavenly Fatther is perfect …

An' think on! Stop worritin' abaht 'ah much brass tha can thoil fer this, that an' t' other … What tha owt ter bi thinkin' abaht is thi treasure in *'eaven* … Tha mun stop worritin' abaht food, an' drink, an' clooase — Tak clooase, fer example. Sither at t' wild flahrs! Even yon King Solomon, wi' 'all 'is gloorious apparel, 'ad nowt ter weear as grand as one o' these little flahrs. T' Almighty taks all that care wi' t' wild flahrs an' t' grass — 'at fowk dry an' shove under t' oven ter burn — so can't ta see at 'e'll tak care o' *thee*?

Well, then. No mooare worritin' ovver what tha's bahn to eyt, an' sup, an' weear … T' Almighty knaws 'at tha needs all these things. But tha mun seek t' Kingdom of 'Eaven, an' ter do what's reight an' jannock — an' all thi needs 'll bi met.

So dooan't thee keep frettin' abaht what's bahn to 'appen termorn. Termorn can tak care of itsen. Each day 'as troubles enough of its awn — an' tha mun live one day at a time …

An' stop pullin' other fowk ter pieces! It's same as if tha's lookin' at a speck o' sawdust i' someb'dy else's ee — an' tha's a gurt plank o' wood i' thi awn ee! Nay. Fust get t' plank aht o' thi awn ee, an'

What a flaysome gurt fall it wor!

then tha'll bi able ter see better 'ah ter get aht yon bit o' sawdust i' t' other person's ee …

An' beware o' false prophets — wolves i' sheep's clooathin', fowk 'at's all talk … A gooid tree allus bears gooid frewt: a bad tree poor frewt — it's as simple as that. It's what fowk *do* 'at matters, nut what the' say … So ivverybody 'at 'ears these words o' mine, an' taks 'eed on 'em, is same as a man 'at built 'is 'ome on t' rock. T' rain came silin' dahn, t' river bust its banks an' flooded ovver it, an' t' gales blew ageean it — but it stood firm, 'cos it wor built on t' solid rock.

But ivverybody 'at 'ears these words o' mine, an' taks no gaum on 'em, is same as a chap 'at built on sand. T' rains came silin' dahn, t' river bust its banks an' flooded ovver it, an' t' gales blew ageean it — an' it fell dahn. An' what a flaysome gurt fall it wor!

T' Lord's Prayer

'Sither at yon Pharisees!', said Jesus ter t' disciples one day. 'Allus sayin' the'r prayers i' public — standin' up an' prayin' aht lahd i' t' synagogue an' at t' street corners! The' mak a reight song an' dance abaht it. It's as if the' want ter let fowk see the're summat special.'

'Nay, lads! T' best sooart o' prayer is what's done i' secret. So when tha prays, go up inter thi cham'er — an' shut t' dooar. An' t' Fatther Almighty, 'oo sees ivverything done i' secret, 'll answer thi prayers aht i' t' oppen.'

'Aye, Lord. But what should wi say in wer prayers?', one on 'em axed 'im. 'Wi dooan't knaw 'ah ter set abaht it, like.'

'Well', said Jesus, 'fust of all tha mun talk ter t' Almighty same as tha talks to a fatther 'oo luvs 'is childer. But allus remember tha's talkin' ter t' Creator of 'eaven an' earth, nut an *earthly* fatther. So tha mun show respect, an' all — pray wi' *dignity* an' say nowt 'at's ovver-familier.'

'Then tha mun pray fer t' comin' of 'is Kingdom — an' only when tha's done that can tha fashion to ax 'im fer t' things tha needs. An' tha mun pray fer fergiveness fer all t' wrong tha's done — an' all t' gooid tha's been too idle ter do. An' at t' same time, say tha'll fergive all t' fowk 'at 'ave done owt wrong ter thee. Reight fair — tha can't expect t' Almighty to ovver-look all *thy* sins if tha weean't fergive fowk thissen.'

'Nah then. This isn't a set o' words ter learn bi 'eart an' rattle off t' same as yon Pharisees do. This is a sooart o' pattern, like

— just ter gi'e thi an idea. An' t' prayer Ah've telled thi abaht could go summat like this:

Ahr Fatther, 'oo art in 'Eaven,
Let thy name bi shown respect,
Let thy Kingdom come abaht —
An' what tha wants doin', Lord, let it bi done —
'Ere on earth
Same as up yonder;
Gi'e us each day
Summat to eyt an' sup;
An' let us off, Lord,
If we've offended Thee bi doin' owt wrong —
An' 'elp us nut to 'od grudges
Agen other fowk
If the've done owt to offend us;
An' keep us aht o' t' rooad o' temptation,
An' aht o' t' clutches of Owd Nick,
Fer it's all thine is t' Kingdom, Lord,
An' all t' Pahr, an' all t' Glooary,
Fer ivver an' ivver …
Aye! It is that*!*

Jesus an' t' Little Tax-man

One day Jesus wor passin' through Jerichooa. Same as all t' places under t' Romans fowk theeare 'ad ter pay taxes — an' the' detested t' men 'at collected 'em. 'Publicans' the' called 'em. Nowt ter do wi' pubs o' course. The' called 'em that 'cos the' wer' public servants. Mind *you*, the' served thersens mooare ner t' public, an' wer' well-knawn fer ovver-chargin' fowk an' makkin' a bit on' t' side — what wi call nawpins i' Yorksher.

Well, ivverybody 'ated these 'ere tax-men, as tha can well imagine, an' mooast of all the' detested the'r gaffers — t' fellers in charge of a group o' tax-collecters, rakin' in extra brass from all t' lot on 'em.

Nah, such a gaffer wor a feller bi t' name o' Zacchaeus. Rowlin' i' brass, as tha'd expect, but a lonely, miserable sowl, 'cos nob'dy 'ould 'ave owt ter do wi' 'im.

'Appen that's why — when 'e 'eard 'at Jesus wor passin' through Jerichooa — Zacchaeus med up 'is mind 'e'd 'ave a look at 'im, just aht o' cewriosity, like.

But Zacchaeus wor a little feller — nut much above five foot — an' try as 'e might, 'e just couldn't see owt fer t' crahds. But, like monny a little feller, 'e wor determined nut ter bi beaten. So 'e ran further along t' rooad, an' climbed up a tree — a fig tree, it wor — so 'e could get a reight gooid view when Jesus passed underneath.

So theeare 'e wor, 'idden among t' leaves — an' by Gum! What a grand view 'e 'ad as Jesus came walkin' past wi' t' disciples …

'Nah, then, Zacchaeus. Tha mun climb dahn from theeare reight sharp!'

Ah, but then ’e got a reight surprise. Jesus suddenly stops, looks up inter t’ tree, an’ says:

‘Nah, then, Zacchaeus. Tha mun climb dahn from theeare reight sharp! Ah’m bahn ter pay thee a visit!’

Well, Zacchaeus wor fair capped ’at Jesus knew ’is name. (Fowk ’ad no daht been sayin’: ‘Ey up! Ther’s yon little monkey Zacchaeus ’idin’ up i’ yon tree!’) An’ ’e nearly fell ovver ’issen — nut gettin’ dahn from t’ tree, but ’cos ’e wor that chuffed ’e’d been gi’en such an honour.

Fowk in t’ crahd, though, wer’ grumblin’ away, reight vexed ’at Jesus ’ad ta’en an interest in a tax-man, let alooane a *gaffer* tax-man.

‘Nay’, fowk wer’ sayin’. ‘Fancy Jesus goin’ ter stay wi’ a wicked owd nip-screw like yond!’

Jesus took no gaum on ’em, but follered Zacchaeus to ’is ’ome — a grandish sooart o’ place bowt wi’ all t’ brass ’e’d fiddled.

Wi dooan’t know ’ah long Jesus stayed theeare, or what ’e said ter Zacchaeus, but at t’ finish this chief tax-gatherer went aht an’ said i’ front of all t’ fowk ’at wer’ still waitin’ theeare:

‘Sither! Ah’m bahn ter give ter t’ poor ’awf of all Ah belong. An’ if onny on yer can show ’at yer’ve been charged ter much — then Ah’ll pay yer back fower times ovver!’

‘’Eark at that!’, said Jesus. ‘Salvation ’as come upon this ’ome terday! This man’s just as much a son of Abraham as onny o’ you are. Ther’s ’ope fer ivverybody — even tax-collecters. An’ it’s fowk like Zacchaeus ’ere ’at I came ter seek an’ save.’

Aye. Ther’s no daht ’at Zacchaeus wor a changed man — ’an ther’s nowt wrong wi’ reight fowk.

Fower Lads 'at Framed Thersens

By Gum! What a commotion once 'at the' knew 'at Jesus wor i' yond 'ahse i' Capernaum! Fowk turned up from all ovver t' shop, an' t' place wor that crahded it's a wonder t' walls didn't bust ... Na ther' wor this poor chap liggin' on a stretcher, carried bi fower of 'is mates. 'E wor paralysed, tha sees — t' sooart o' case 'at seeamed 'opeless. But these fower lads 'ad said ter thersens: 'If wi can nobbut get 'im ter Jesus — 'e'll do summat to 'elp 'im.'

Well, when the' gat up ter t' ahse, an' saw this gurt jooarum o' fowk, an' cracked on 'at nooab'dy 'ould budge aht o' t' rooad ter mak way fer 'em, the' wer' fair sickened off.

'Nay', said one on 'em, 'Wi've browt 'im all this way fer nowt!'

'Dooan't talk so daft!', said 'is mate — one wi' a bit o' gumption. 'We'r nooan bahn ter bi beaten. If wi can't get in thru t' dooar-'oile, we'll tak 'im up onter t' roof an' let 'im dahn thru theeare.'

T' others gawped at 'im same as if the' thowt 'ed gone barmy. But t' chap on t' stretcher looked up at 'em as much as ter say:

'Well, ther's nowt Ah can do abaht it missen — but owt's worth a try.'

'Dooan't just stand theeare!', shahted t' feller 'oo 'ad a bit o' gumption. 'Come on, lads! Frame yersens! Dooan't bi so sackless! Standin' theeare lookin' gawmless 'll get us nowheeare!'

Well, t' fower on 'em jumped to it. The' grabbed 'od o' t' stretcher, an' carried it up t' stooane steps onter t' roof-top. It wor flat, tha knaws, fer dryin' t' weshin', an' such-like. But it wor

They oppened a gurt big 'oile, an' then the' lowered t' stretcher dahn.

thin, an' all, nobbut a layer o' tilin' ovver a feew latts. It wor that thin 'at the' could 'ear t' sahnd o' Jesus voice — an' the' could tell just wheeare 'e wor standin'. So reight ovver this spot the' rived up t' tiles, oppened a gurt big 'oile, an' then, wi' a length or two o' rooape, the' lowered t' stretcher dahn — reight i' front o' Jesus.

By Gow! Fowk wer' that capped the' just stood theeare wi' the'r gobs wide oppen, an' the'r een stickin' aht like chapill 'at-pegs.

But streight away Jesus saw t' *faith* 'at 'ad led these fower lads ter do summat that drastic.

'Champion!' 'e said. Then 'e bent ovver t' poor chap on t' stretcher an' said to 'im:

'Nah then, lad. Dooan't thee fret thissen! Thi sins are all fergiven.'

Well, ther' wer' some o' them Scribes, t' religious lawyers, sittin' theeare — an' the' didn't awf start chunterin' away!

'Just 'eark at that!', the' muttered among thersens. 'That's nowt but blasphemy! There's nobbut t' Almighty can fergive sins!'

'Na *then*', said Jesus, turnin' ter t' Scribes. 'Sewt yersens! It's as easy ter tell this poor chap ter tak up 'is bed an' *walk*, as it is ter fergive 'is sins ... An' if it's proof yer want, then — sither! Nah then, lad ... Thee tak up this 'ere stretcher — an' walk!'

An', bi Gow, that's just what 'e did! 'E sammed up that theeare stretcher, an' off 'e went ... Walkin' ... Slow at first, as though 'e could 'ardly believe it, an' wi' fowk givin' 'im an' 'elpin' 'and — but walkin', all t' same ... Well, all t' fowk crahded theeare wor fair flabbergasted! The' kept sayin': 'Ah've nivver seen nowt like this afooare! It caps owt! It's a reight merricle!'

Aye, an' t' way yon fower lads rived oppen t' roof — that wor a merricle, an' all!

T' Parrible o' t' Sower

Ah wonder if tha's ivver thowt abaht t' way Jesus telled 'is tales. 'E didn't preych from a pulpit, tha knaws, ter fowk sittin' bowlt upreight i' peews — though he did sometimes speyk i' t' synagogue. 'Appen 'e stood on a rock nah an' ageean, so's t' crahds could 'ear 'im. But mooast o' t' time 'e sat 'issen dahn among t' disciples, an' just talked — that wor t' custom, does-ta see?

Nah, one day, 'e wor on t' shooares o' t' Sea o' Galilee. Ther' wer' that monny fowk 'at 'ad come to 'ear 'im, 'at the' wer' practic'lly standin' on one another's 'eeads. So does-ta knaw what Jesus did? 'E got inter Peter's booat ageean, gev it a bit of a shove, an' theeare 'e wor, sat in t' booat, wi' all t' audience on t' shooare. An' Ah bet yon booat 'ould mak a champion pulpit, 'cos voices 'll carry ivver so clear ovver watter, tha knaws … An' as Jesus sat theeare i' t' booat wi' t' sun shinin' dahn, an' t' waves lappin' gently agen t' shore, this is t' tale 'e telled 'em …

'Eark 'at this. Ther' wor once a farmer 'at went aht into 'is field ter sow corn — I' them days, o' course, the'd no mechanical contraptions, same as wi 'ave terday, an' t' farmer 'ould just 'od t' seed i' t' lap of 'is coit or in a basket, an' 'e'd sow it brooadcast — chuck it ter t' reight an' t' left as 'e walked along — You can just picture it, can't yer?

Well, it so 'appened, 'at some o' t' seed fell on t' path 'at went across t' field — a path o' soil beaten 'ard wi' fowk walkin' on it. As sooin as it landed theeare, t' corn wor etten up bi t' birds. If tha's ivver sown seed i' t' garden tha knaws what a blessed pest t' sparrers and such like can be — well it wor t' same wi' this. As sooin as it landed, t' seed wor gobbled up.

Then some o' t' seed fell inter soil wheeare ther' wor rock just under t' surface. It started ter grow, all reight, oh aye, but t' soil wor that shaller t' corn couldn't put dahn proper rooits to finnd a bit o' moisture — an' sooin t' plants withered away wi' t' wahrmth o' t' sun.

Then another lot o' seed fell into quite a middlin' patch o' grahnd — but ther' wer' thistles growin' theeare an' all. An' when t' corn sprahted, t' thistles greew even faster, an' sooin the'd throttled all t' young plants, an' the' nivver did nowt — the' just deed off.

But some o' t' seed fell into real grand soil — and later on i' t' year, 'at 'arvest time, t' farmer fahnd 'at some on it 'd prodewced a crop thirty times mooare ner what 'e'd sown, an' some wer' sixty times, an' some even a 'undred times mooare.

An' that wor t' finish o' t' tale — except Jesus just added, wi' a bit o' a twinkle in his ee, like: 'Them 'at's got lug-oiles to 'ear, then let 'em 'ear!'

Nah, that's 'ah Jesus liked ter tell a tale. Short an' simple, tha sees, wi' no long explanations. It's as though 'e allus said: 'Well theeare y'are. If t' cap fits, y' mun weear it!'

But when the' 'eeard t' parrible o' t sower some o' t' disciples couldn't reckon it up at all. The' weren't all that brainy, tha knaws, at t' best o' times. The' wer' nobbut fishermen an' ordinary workin' class lads — some on 'em still i' the'r teens. So at-after the' come up ter Jesus when 'e wor on 'is awn an' the' said:

'Wi can mak nowt o' yon tale abaht t' sower. Ther' must be a meanin' in it somewheeare. Will tha tell us what it is?'

'Nay', says Jesus, 'T' meanin's plain enough fer them 'at's *looking*

T' farmer 'ould just 'od t' seed an' sow it brooadcast.

fer it. But same as t' prophet Isaiah says, ther's some fowk look, but see nowt, an' some fowk listen, but understand nowt. Ther's nooan so blinnd as them 'at weean't see, nooan so deeaf as them 'at weean't 'ear ... T' farmer 'at sows seed is same as a preycher sowin' t' Word o' God, scatterin' far and wide t' gooid neews o' t' Gospil, tellin' fowk 'at t' Almighty luvs 'em same as a fatther luvs 'is childer — so the' mun luv each other same as brutthers an' sisters.

But ther's some fowk wi' 'earts 'as 'ard as yon path across t' field. As sooin as the' 'ear t' Gospil the' stop up the'r lugs an' weean't 'ave owt ter do wi' it. It's same as if Owd Nick comes an' snatches it from 'em. Then ther's some fowk same as t' grahnd on rock. When *they* 'ear t' Gospil preyched the're reight ta'en up wi' it — the' think it's grand. An', full of enthewsiasm, the' start ter live t' Christian life. But t' trouble is ther's nowt deep abaht 'em. It's all on t' surface, like. An' as sooin as fowk start makkin' fun on 'em, or callin' 'em names, or bein' nasty tul 'em on accahnt of 'em bein' Christians — then the' give up. No stayin' pahr, tha sees, no depth — same as yon corn withered up bi t' sun.

An' then ther's another sooart a fowk 'at mak a champion start as Christians — full o' promise an' gooid intentions. But then the' start worryin' abaht makkin' mooare brass, an' keepin' up wi' t' Jones's. The' start dollin' thersens up, an' 'ankerin' after ivvery neew-fangled article the' see — an' same as t' corn growin' among t' thistles, the' get choked up wi' the'r material possessions — an' the'r Christianity nivver comes ter nowt.

Aye — but there's some fowk like t' seed 'at fell inter t' gooid soil. An' *they* bear t' frewt of a grand Christian life. A feew on' em bears a crop of an 'undred-fowld. Ah reckon the'll bi t' sooart o' fowk wi call saints. Some on 'em bears a crop o' sixty-fowld — real gooid-livin' fowk — an' *they're* feew an' far between, an' all. An' some on 'em bears a crop o' thirty-fowld — nowt aht o' t' ordinary — just middlin' Christians — but at least, it's better ner nowt … Aye, it taks all sooarts. Ther's some 'at's as 'ard as nails, an' some 'at's all top show, an' some 'at gets choked up wi' worry ovver brass. We're a funny lot — but, tha knaws, t' sower nivver gives up. No matter 'ah e's tret — 'e keeps on sowin'."

T' Feedin' o' t' Five Thahsand

Ivverybody's 'eard tell o' t' feedin' o' t' five thahsand. Ther's some say 'at t' *real* merricle wor 'at Jesus gat all these fowk ter share among thersens t' food the'd browt wi' 'em — a bit like one o' them faith teeas, tha sees. (Though i' *my* experience ther's oft mooare faith ner teea at a do like that!). Well, that's nut what it says i' t' Gospils — an' t' same tale is in all fower on 'em, an' all. So 'ere's what 'appened accooardin' ter Matthew, Mark, Lewk an' John.

One day Jesus an' t' disciples wer' that moithered wi' t' jooarum o' fowk the' couldn't even finnd t' time fer a bite an' a sup. If the' didn't do summat abaht it the'd sooin be reight knocked up.

'Sither, lads', said Jesus. 'Wi mun get away from all these fowk, an' go somewheeare fer a bit o' peace an' quiet, an' tak it easy fer a while.'

So the' gat into a booat, an' sailed away along t' shooare o' t' Sea o' Galilee, makkin' fer a nice spot the' knew, wheeare the' thowt the'd bi aht o' t' rooad o' t' crahds. But t' trouble wo', t' fowk kept the'r een on t' booat, an' started runnin' along t' lake-side, keepin' up wi' 'em, tha sees.

Well, the' landed somewheeare near Bethsaida, 'oping ther'd 'ave a bit of a rest from t' crahds theeare. But all t' fowk wer' waitin' fer 'em. Ther' wor thahsands on 'em — men, women an' childer. But instead o' bein' annoyed wi' 'em Jesus said ter t' disciples:

'Ee dear! These poor fowk are same as a flock o' sheep — baht

So Jesus an' t' disciples gat into a booat, an' sailed away along t' shooare.

a shepherd'. An' 'e gat agate teychin' 'em ageean, an' curin' all sooarts of ailments.

When t' disciples saw t' sun gettin' lower an' lower in t' sky the' said ter Jesus:

'Lord! It'll sooin bi dark. Wi mun send these fowk away. We'r miles from onnywheeare. The'll 'ave ter go ter t' farms an' t' villages an' buy thersens summat to eyt.'

'No', replied Jesus. 'These fowk 'ave follered mi fer three days nah. Ah can't just send 'em away. Give 'em some food yersens.'

'Nay, Lord', said t' disciples. 'It 'ould cost endless o' brass ter feed this lot — even ter give 'em a little bit apiece.'

'What food is ther', then?' axed Jesus.

It wor Andrew, t' brutther o' Peter, 'oo spok up an' said:

'Well, Lord. Ther's a little lad 'ere wi' five looaves o' barley bread, an' a couple o' fish.'

Jesus then telled t' disciples ter get all t' fowk ter sit thersens dahn on' t' grass — 'cos it wor nice an' green just theeare — an' arrange thersens i' rows o' fifties an' 'undreds. Then 'e took these 'ere looaves, looked up an' gev thanks, then brok 'em i' pieces an' gev 'em ter t' disciples ter tak rahnd ter t' fowk sittin' on t' grass. Then 'e did t' same wi' t' two fish — an' t' Gospils say 'at ivverybody 'ad the'r fill — all five thahsand on 'em. What's mooare, at-after, t' disciples sammed up all 'at wor left ovver — an' ther' wer' twelve baskets full o' bits of bread an' fish. *Nah* then!

Well, that's what t' Gospils say — an' tha can tak it or leave it. But dooan't thee tell *me* it wor nobbut a faith tea!

Jesus Talks ter Two Loose Women

I' Sent John's Gospil ther's two tales abaht 'ah Jesus capped fowk bi showin' respect fer women. I' them days, tha knaws, women wer' kept i' the'r place, an' t' religious leaders could 'ardly bring thersens ter speyk tul 'em. Yet 'ere's Jesus talkin' tul 'em i' public — *loose* women, an' all …

One day Jesus an' t' disciples wer' on the'r way thru Galilee ter Jerewsalem, an' the' come to a place called Sychar, i' t' middle o' Samaria. Jesus wor worn aht wi' all that walkin', so 'e sat 'issen dahn bi Jacob's well theeare an' rested, while t' disciples went off ter buy summat fer the'r meal.

After a while a woman came ter draw some watter from t' well. Jesus said to 'er:

'Will-ta gi'e me a sup o' watter, lass?'

T' woman wor reight shocked at this. 'Ah'm capped at *thee*', sh' said. 'Tha's a Jeew, an' Ah'm a Samaritan. It's brazen enough fer a man ter speyk to a *woman* — but fer a Jeew ter beg a sup from a *Samaritan* — Why! We've 'ad nowt ter do wi' one another fer centuries!'

'If tha knew '*oo* it is who's axing thee fer a sup', says Jesus, 'Tha'd ax '*im* — an' 'e'd gi'e thi *livin'* watter.'

'Nay. Tha's nut even got a bucket ter let dahn inter t' well!', sh' says. 'It wor ahr ancester, Jacob, 'at gev us this well — Does-ta set thissen above '*im*?'

'If tha sups this watter tha'll bi thirsty ageean', says Jesus. 'This watter o' mine 'll spring up an' bring eternal life.'

'Well, then', says t' woman. 'Gi'e me a sup o' *thy* watter, then Ah s'll nivver bi thirsty ageean!'

'Go an' bring thi 'usband', says Jesus.

'Nay … Ah've no 'usband', says t' woman.

'Ah should think tha 'asn't!', says Jesus. 'Tha's been wed ter *five* 'usbands — an' t' feller tha's got *nah* isn't wed ter thi!'

(T' woman wor reight put aht bi this. T' fact is, sh' wor as leet-gi'en as a posser-'eead.)

'Oh, Ah can see tha's a prophet', says t' woman, puzzled 'at 'ah Jesus could knaw all this. 'Us Samaritans worship on this mahntin 'ere — but you Jeews say wi owt ter worship i' Jerewsalem.'

'T' time's comin'', says Jesus, 'when fowk'll worship nawther 'ere ner i' Jerewsalem … T' place doesn't matter. What matters is ter worship trewly, wi' all thi 'eart an' sowl.'

'When t' Messiah comes', says t' woman, ''E'll mak it all plain.'

'That's 'oo's talkin' ter thi', says Jesus.

Just then t' disciples came back wi' t' food. The' wer' reight capped ter see 'im talkin' to a woman — an' a Samaritan at that. But the' dursn't say owt.

T' woman went off an' telled ivverybody sh' met: 'This chap knaws all 'at ivver Ah did! Can 'e bi t' Messiah?'

Well, that monny Samaritans came aht ter see Jesus 'at 'e stayed theeare two days, afooare settin' off ageean fer Jerewsalem.

A bit later on, when Jesus wor i' Jerewsalem, 'e wor sittin' dahn in t' Temple preychin' to a gurt crahd a fowk. Suddenly ther' wor a big commotion. Some Scribes an' Pharisees wer' draggin' in a woman. The' browt 'er i' front o' Jesus an' said, reight prahd o' thersens:

'Nah, then, maister! We've just caught this 'ere woman committin' adultery! Sh' wor agate wi' it when wi got theeare — copped i' t' middle on it! Nah, it says in t' Law o' Moses 'at a woman like this should bi stooaned ter deeath. What does-ta say abaht *that?*'

'Will-ta gi'e me a sup o' watter, lass?'

Jesus ’ad stood up when ’e’d seen ’em comin’, but nah ’e bent dahn an’ reckoned ter write wi’ ’is finger on t’ sandy fleg-stooanes. So t’ Scribes an’ t’ Pharisees started on at ’im ageean, tryin’ ter catch ’im aht, tha sees, i’ front of all those fowk.

Jesus stood up streight ageean, then said:

‘All reight, then. Carry aht t’ Law o’ Moses. Stooane ’er ter deeath. But just one thing … Let t’ first stooane bi thrawn bi one on yer ’at’s committed no sin!’

Well, the’ looked at one another, then, reight shame-faced, off the’ went, one bi one, startin’ wi’ t’ owdest on ’em.

T’ woman wor still standin’ theeare. So Jesus says:

‘Wheeare’ve the’ gone, then? Is ther’ nob’dy left ter condemn thi?’

‘No, sir’, says t’ woman.

‘Ner me nawther’, says Jesus. ‘Off tha goes, lass. But, think on! Dooan’t thee sin ageean!’

Jesus Calms a Storm an' Fettles a Flaysome Madman

One neet, when Jesus 'ad finished preychin' ter t' crahds on t' lakeside, 'e said ter t' disciples, 'Come on, lads. Let's go across ter t' other side o' t' lake!'

Jesus wor in t' booat already, tha sees, 'cos 'e 'd been usin' it, as 'e monny a time did, as a sooart o' pulpit. Well, the' set off, wi' some o' t' disciples i' this booat, an' t' rest i' two other booats.

Nah t' trouble wi' t' Sea o' Galilee is tha can nivver tell when it's bahn ter bi bad weather. It's summat ter do wi' it bein' lower ner sea level — all t' air currents, an' that. Well, the'd got abaht awf way across t' lake when a wind suddenly gat up. Sooin it wor that wild an' rough 'at watter wor comin' ovver t' side inter t' booat.

Nah, Jesus — no daht weary after preychin' ter t' crahds all t' day — wor i' t' stern o' t' booat, wi' 'is 'eead liggin' on a cushin, 'ard an' fast asleep. But t' disciples wer' wide awake an' flaid ter deeath on accahnt o' this storm. The' went ovver ter Jesus an' started shakkin' 'im ter wakken 'im up.

'Maister!', the' bawled. 'Tha mun *do* summat! We're all bahn ter dee! T' watter's fillin' t' booat — an' wi s'll sink. Wi'll all bi drahndid!'

Jesus stood up an' seeamed ter bawl aht a sooart o' command ter t' wind an' t' waves — an' by Gum! Bit bi bit, t' storm bated, an' t' sea greew calm ageean.

Then Jesus turned ter t' disciples:

'Why wer' you lads so afeeared?' 'e said. 'Ee, deary me! What's 'appened ter yer *faith*?!'

T' disciples wer' still afeeared, an' wer' fast what ter reply.

'What sooart o' man is *this*?', the' wer' sayin' among thersens. 'Even t' wind an' t' waves do as 'e tells 'em!'

Well, the' got safely across ter Gadara at t' other side, an' at fust leet, as sooin as Jesus stepped ashooare, ther' came runnin' up to 'im a wild-lookin' madman, skrikin' away at t' top of 'is voice, 'is long 'air streamin' be'ind 'im. What a flaysome seet! 'E wor clooathed i' regs, an' covered i' cuts an' brewses — an' 'e'd a length o' brokken chain fastened to 'is ankles an' wrists. T' disciples later fahnd aht 'at this feller wor that dangerous the' kept 'im well aht o' t' rooad i' this lonely place among t' tombs an' t' caves. The'd chained 'im up, an' all, but 'e wor that strong 'e allus brok loose, an' rooamed abaht, day an' neet, rantin' an' ravin', possessed wi' terrible divills.

When 'e goes up ter Jesus 'e lets aht another 'orrible shriek, then thraws 'issen dahn i' front of 'im.

'Jesus! Son o' God Almighty!', 'e yells. 'What do yer want wi' *me*? Nay, dooan't punish mi, Ah beg of yer!'

'What's thi name, lad?', axes Jesus, talkin' to 'im same as if 'e wor normal, like.

'Mi name's "Legion"', says t' madman. 'Cos ther's that monny on us!'

'E meant, o' course, 'at 'e wor possessed wi' no end of evil sperrits.

'Dooan't send us away!', t' madman went on. 'Sither at them pigs ovver yonder! Send us inter them!'

Well this gurt 'erd o' pigs on t' 'illside near t' lake — abaht two thahsand on 'em, ther'd bi — suddenly started rushin' abaht same as if demented. Then, bi Gow, the' ran dahn t' 'ill, all of a fullock, an' ovver t' side inter t' lake — all drahndid!

The'd chained 'im up, but 'e wor that strong 'e allus brok loose.

T' swine'erds who'd been lookin' after t' pigs wer' flayed aht o' the'r wits, an' ran off inter t' tahn. The' telled fowk theeare what 'ad 'appened, an' crahds on 'em started comin' aht ter see what wor agate wi' this madman.

When the' got theeare the' saw im sittin' an' talkin' ter Jesus as calm as owt — an' nah 'e wor weearin' proper clooase, an' looked ter be in 'is reight mind. Well, instead o' bein' sewted wi' it all, t' fowk felt that uneasy they axed Jesus if 'e wouldn't mind leavin' an' goin' back across t' lake.

Jesus said 'e would, an' just as 'e wor gettin' inter t' booat t' man 'at 'ad been possessed wi' divills begged 'im ter let 'im come wi' 'im.

'No, lad', said Jesus. 'Thee stay an' tell all t' fowk rahnd 'ere what a wonderful thing God's done fer thi.'

So Jesus set off wi' t' disciples across t' lake, leavin' 'em all flabbergasted — all bar t' madman, 'oo wor feelin' nicely fer t' fust time i' years.

Two Wonderful Cures

When Jesus an' t' disciples got ter t' other side o' t' lake — after yon madman thru Gadara 'ad been fettled an' browt back to 'is senses — the' saw another gurt crahd waitin' fer 'em ter land. No sooiner 'ad Jesus stepped ashooare ner t' fowk got aht o' t' rooad an' med way fer a chap o' some importance. He wor called Jairus, an' 'e wor t' gaffer in charge o' t' synagogue — t' place wheeare t' Jeews allus worshipped ivvery Setterda.

Instead o' welcomin' Jesus, as yer might 'a' thowt, this Jairus threw 'isssen dahn full length i' front o' Jesus an' started beggin' 'im to come an' 'elp 'im.

'It's my little lass', says Jairus. 'Sh's reight badly. Sh's that badly Ah'm afeeared sh's bahn ter dee. Sh's nobbut twelve year owd — an' sh's mi only dowter. If yer please, Lord, come an' lig yer 'ands on 'er — an' then sh'll mend ageean.'

Jesus said summat to 'im, an' t' next thing the' knew 'e wor followin' Jairus through t' crahd. But t' place wor that throng the'd a job ter shove the'r way through.

Nah, a lot o' these fowk 'ad ailments 'at the' wanted Jesus ter cure, an' one on 'em wor a woman 'oo'd been lossin' blood fer twelve year — strangely enough, t' same length o' time as this dowter o' Jairus 'ad been alive. Sh'd spent all 'er brass on t' doctors — but the'd done nowt for 'er — in fact, sh' wor wahr ner ivver.

Well, this woman thowt to 'ersen, 'If Ah can nobbut touch t' *clooase* o' Jesus Ah s'll get well ageean.' So sh' pushed 'er way through t' crahd, reached aht, an' just managed ter touch t' edge o' Jesus coit.

As sooin as sh' did this t' woman knew 'at sh'd been cured. Streight away Jesus turned rahnd an' axed:

'Oo touched my clooase?'

'Nay, Lord', said t' disciples, 'What a thing to ax, when all this crahd's pushin' an' shovin' us!'

'Aye', said Jesus. 'But somebody *did* touch me — in a special sooart o' way. Ah could feel it.'

Then this woman, tremblin' all ovver, fell dahn at t' feet o' Jesus, an' blurted aht all 'er troubles.

'Dooan't thee fret thissen, lass', said Jesus. 'It's thi *faith* 'at's med thi well ageean. Nah, go in peace.'

What abaht Jairus, then? Tha can just imagine t' state t' poor chap wor in, wi' all this interruption, when Jesus wor on 'is way ter see 'is dowter, liggin' at deeath's dooar, an' ivvery minute cahnted. But t' worst on it wor, while Jesus wor still talkin' ter this 'ere woman, some o' Jairus servants turned up an' said to 'im:

'Ee, maister. We've some reight bad news ... Yer dowter's passed away ... Ther's no call ter trouble Jesus onny mooare.'

'Dooan't be afeeared!' said Jesus ter Jairus, as sooin as 'e 'eard this. 'All tha needs is *faith* — an' t' lass 'll be well ageean.'

Sooin the' gat ter wheeare Jairus lived, an' Jesus went in, takkin nobbut three o' t' disciples wi' 'im — Peter, James an' John. Inside ther' wor a reight commotion, wi' fowk weepin' an' wailin', an' rooarin' the'r een aht.

'What's all this, then?' axed Jesus. 'Nay, t' bairn's nut deead. Sh's nobbut asleep.'

Well, at this fowk suddenly left off weepin', an' started laughin' at Jesus. The' wer' that certain t' lass 'ad deed, tha sees.

Jesus replied bi turnin' 'em all aht inter t' yard, all bar t' mutther

'Nah then, doy', says Jesus. 'Up tha gets!'

an' fatther, an' t' three disciples. The' went inter t' room wheeare t' lass wor liggin' on a sofa, an' Jesus just took 'od of 'er 'and an' said in t' Galilee dialect (Ah 'ope ah've got it reight):

'*Talitha cum!*', which meeans ter say, 'Nah then, doy. Up tha gets!'

An', does-ta knaw? Jairus dowter sits 'ersen up, an' then starts walkin' abaht!

Well, t' parents wer' dumb-fahnded — an' ovver t' mooin, as tha can well imagine.

'T' lass'll need summat to eyt an' sup', said Jesus ter Jairus an' 'is missis. 'But think on. Say nowt abaht this fo' t' time bein'. Ther's that monny fowk wi can scarcely stir.'

It's a funny thing, but Jesus allus seeamed ter try ter keep these merricles o' healin' quiet. Ah suppooase it wor cos 'e wanted ter preych an' teych — nut just bi seen as a doctor. Mind *you*. Mooare 'e telled 'em ter say nowt, mooare the' shahted it from t' 'ahse-tops. Yer can't blame 'em, can yer?

T' Sheep an' t' Gooats

This 'ere's a parable tha'll nobbut finnd i' Sent Matthew's Gospil. It's one abaht t' Day o' Judgement — summat 'at mooast fowk dooan't like ter think abaht.

The' like ter think 'at Jesus talked abaht nowt but bein' kind an' fergivin', same as in t' tale o' t' Prodigal Lad — an' the' ferget 'at Jesus 'ad some varry stern things ter say, nut just abaht evil-doers, but abaht fowk 'at do *nowt* — t' same as t' gooats i' this parrible …

When t' Messiah comes in all 'is glooary, as t' King o' t' Day o' Judgement, an' sits dahn on 'is throoane, all t' fowk i' t' world 'll be assembled afooare 'im. An' t' King 'll separate one lot from t' other, just same as a shepherd separates t' sheep from t' gooats.

An' t' King 'll say ter t' sheep, all gathered on 'is reight 'and, 'Come an' receive t' blessin' o' mi Fatther — t' 'Eavenly Kingdom put by fer thi ivver since t' fahndation o' t' world! Fer when Ah wor 'ungry tha gev mi summat to eyt. When Ah wor thirsty, tha gev mi summat ter sup. When Ah wor a lonely off-comed-un tha med mi reight welcome. When Ah wor baht clooase tha gev mi summat ter weear. When Ah wor badly tha looked after mi. When Ah wor i' prison tha visited mi.'

Then these gooid-livin' fowk 'll say: 'Nay, Lord. When did wi see *thee* 'ungry an' gi'e thi summat to eyt? When did wi see *thee* thirsty, an' gi'e thi summat ter sup? When did wi see *thee* a lonely off-comed-un an' mak thi welcome — or see *thee* baht clooase an' gi'e thi summat ter weear, or see *thee* badly or i' prison an' come an' see thi?'

An' t' King'll answer: 'Ah'll tell thi this: Whativver tha did fer one o' these 'ere — fer one o' t' least o' these brutthers o' mine — tha did it fer me.'

Then t' King'll turn ter t' gooats on 'is left: 'Off yer go, inter t' everlastin' fire prepared fer t' Divill an' 'is demons! Fer when Ah wor 'ungry tha gev mi nowt to eyt. When Ah wor thirsty tha gev mi nowt ter sup. When Ah wor a lonely off-comed-un tha nivver med mi welcome. When Ah wor baht clooase tha nivver gev mi nowt ter weear. When Ah wor badly, an' i' prison — tha nivver came near!'

Then this lot'll say:

'Nay, Lord! When did wi ivver see *thee* 'ungry, or thirsty, or lonely, or baht clooase, or badly or i' prison — an' nivver did nowt to 'elp thi?'

An' t' King'll answer: 'Ah tell thi this: Whativver tha couldn't be *bothered* ter do fer one o' these 'ere brutthers o' mine, tha couldn't be bothered ter do it fer *me*!'

T' Sabbath Brokken bi Jesus

T' Jeews, tha knaws, wer' allus reight strict abaht t' keepin' t' Sabbath — t' seventh day, Setterda, t' day o' rest. The' thowt it wor wicked ter do onny work. Mooastly fowk just sat thersens dahn an' did nowt — all t' day long.

Nah one Sabbath Jesus wor preychin' at t' synagogue when 'e spotted an owd lass i' t' congregation bent double wi' arthur-itis, or summat o' that sooart. Eighteen year sh'd been like this, poor woman, an' Jesus felt reight sorry fer 'er. So 'e called 'er aht ter t' front, ligged 'is 'ands on 'er, an' said:

'Nah then, luv. Tha's free from thi ailment!'

An' theeare an' then t' owd lass stood up, streight as a yard o' pump-watter — an' started singin' 'er praises ter God.

But t' president — that's t' gaffer o' t' synagogue, tha knaws — worn't a bit sewted wi' this. 'E jumps up an' bawls aht:

'This is t' Sabbath Day! Ther' are six days when tha can do thi work. Let fowk come an' bi 'ealed *then* — but nut on t' Sabbath!'

'What daft talk!', replies Jesus. 'There's nut *one* on yer 'at doesn't tak 'is beast or 'oss aht o' t' mistal on t' Sabbath an' lead 'im ter t' watter. That's *work*, isn't it? An' ter think 'at this woman 'ere — a dowter of Abraham — kept bent double bi Satan fer eighteen year — ter think 'at sh' shouldn't bi loosed from 'er bonds, just 'cos it's Sabbath!'

T' congregation wor full o' praise fer all 'at Jesus 'ad said an' done, but t' Jeewish authorities wer' fewrious.

A bit later, on another Setterda, one o' t' top Pharisees invited

Jesus to 'is 'ome fer a meal — an' the' wer' all watchin' 'im ter see if 'e did owt ter brek t' Sabbath.

Sittin' reight i' front o' Jesus wor a man all swollen wi' t' dropsy — 'is legs an' ankles all blown up like blethers, poor feller. The'd 'a' browt 'im theeare on purpose, tha sees — just ter try an' catch Jesus aht. So Jesus looked rahnd on these fussy Scribes an' Pharisees, an' 'e says:

'Well, nah. What does-ta think? Is it *reight* ter heal on t' Sabbath Day? Or is it wrong? Come on, speyk up!'

But nob'dy said nowt — so Jesus went ovver ter this man wi' t' dropsy, said a few words to 'im, touched 'is body an' some-'ah seeamed ter fettle this awful disease. 'E 'elped 'im to 'is feet an' then let 'im walk aht, lookin' as reight as a trivvit.

'Let mi ax another question', says Jesus. 'If one on yer belongs a donkey or a beeast, an' it falls dahn a well on t' Sabbath Day, would yer leave it liggin' theeare just 'cos it wor t' Sabbath?'

An' once ageean nob'dy said nowt.

Another Sabbath, Jesus an' t' disciples wer' walkin' through t' fields near t' Sea o' Galilee. Some o' t' disciples, feelin' a bit pined, thowt the' might as well chow a bit o' wheat — 'cos it wor growin' all rahnd 'em. So, as the' walked on the' plucked a two-a-thri ears o' wheat apiece an' rubbed 'em i' the'r 'ands till the'd got a nice bit o' grain the' could eyt.

It so 'appened 'at some Pharisees spotted 'em doin' this — an' would yer credit it? — the' called aht ter Jesus:

'Does-ta knaw 'at them disciples o' thine are brekkin' t' law? Yer can't do that on t' *Sabbath*!'

Nah, if the'd said the' wer' pinchin' t' farmer's corn, t' disciples could 'ave understood it — but what these fussy Pharisees meant wor 'at the' wer' brekkin t' Sabbath by *workin'* — reapin' an' grindin' corn!

Well, Jesus gev 'em summat ter think abaht, Ah'll tell yer!

Quotin' from t' Scriptures 'e says tul 'em: "Aven't you Pharisees read abaht David, an' what 'e did when 'e an' 'is men wer' 'ungry? David went inter t' Temple i' Jerewsalem an' 'e sammed up all t' bread 'at 'ad been put on t' altar as a sacrifice ter God. David ett o' this bread — an' shared it aht among 'is men. Yet it's agen t' law fer onnybody to eyt t' Temple bread — bar t' preeasts. If you Pharisees understood t' Scripture — "God wants human kindness, nut sacrifice" — then yer'd nut bi allus mawkin' an' threeapin' an' tellin' fowk off. An' remember this: t' Sabbath is fer t' benefit o' mankind, nut mankind fer t' benefit o' t' Sabbath. What's mooare, t' Son o' Man, t' Messiah, is Lord even ovver t' Sabbath.'

An' these 'ere Pharisees — same as t'others — 'ad nowt ter say fer thersens, nawther, but just let t' disciples be.

Peter Gets a Reight Tellin'-off

This 'appened up in t' north o' Palestine, near wheeare t' River Jordan comes aht o' t' fooit o' t' mahntins, a place called Caesarea Philippi. Jesus an' t' disciples wer' going rahnd preychin', from one village to another. As the' wer' walkin' on, Jesus suddenly axes 'em:

'Tell mi this, lads. What are fowk sayin' abaht mi? 'Oo do the' say I am?'

'Well', says t' disciples, 'Some fowk say tha's John the Baptist. An' some say tha's Elijah — or another o' t' fiery prophets o' t' owden days.'

'An' what abaht you lads', says Jesus. 'What do *you* say?'

Simon Peter blurts aht, afooare onny of 'em could speyk:

'Tha's t' Messiah, Lord! Tha's t' Son o' t' livin' God!'

'Well spokken, Simon', says Jesus. 'This 'as been revealed ter thee bi t' Fatther Above. Tha knaws 'ah wi call thi Peter — the Rock? Well, it's on a rock like this — on this faith 'o thine — Ah s'll build my Church — an' Hell itsen 'll nooan bi able to ovverpahr it. Ah s'll gi'e thee t' keys o' t' Kingdom of 'Eaven ... But think on, all on yer! Say nowt to other fowk abaht what Peter's just said — abaht t' Messiah.'

Then Jesus started ter talk ter t' disciples i' reight solemn tones. 'E'd 'ave ter go dahn ter Jerewsalem, 'e said, an' face up ter bein' 'ooined an' ill-tret bi t' leaders o' t' Jeews, an' t' preeasts an' t' Scribes.

The'd turn ageean 'im, say all sooarts o' nasty spiteful things abaht 'im, cause 'im much sufferin', an' — at t' finish — the'd kill 'im … Aye, but on t' third day 'e'd rise ageean …

Well, t' disciples wer' 'eart-brokken when the' 'eeard Jesus talk like this — an' Peter took 'od o' Jesus arm an' drew 'im ter one side.

'Nay, Lord! Nay! Nay!', says Peter — reight worked up, 'e wor. 'Nowt like this is bahn to 'appen ter *thee*! Nivver i' this world! Wi s'll nooan *let* it!'

An' yer could 'a knocked 'im dahn wi' a feather when Jesus suddenly turns rahnd an' shahts at Peter:

'Aht o' mi rooad, Satan! This isn't summat tha's got from t' Almighty *this* time! This is *thee* talkin', just like an ordin'ry man! So 'od thi whisht!'

Poor Peter looked reight shame-faced — an' 'oppen-mahthed, an' all, 'cos 'e just couldn't reckon up 'ah 'e could 'a spokken aht o' turn.

Then Jesus called all t' disciples together an' said tul 'em:

'Nah listen at this, lads! If onny on yer wants ter foller me, 'e mun ferget all abaht 'issen, an' bi ready ter tak up 'is cross — an' suffer same as me. If tha seeks ter save thi life — tha'll loss it! If tha's willin' ter loss thi life fer my sake, an' t' sake o' t' Gospil, tha'll save it! An' what if tha wins t' 'ole world an' all 'at's in it — an' then losses thi awn sowl — wheeare's t' sense i' that? Ther's nowt tha can do, tha knaws, ter buy back thi sowl once tha's lost it … So if tha can't fashion ter stand up an' bi cahnted among all t' unbelief an' wickedness, an' if tha's ashamed ter stand up fer me an' my words, then dooan't bi capped if I'm ashamed o' *thee* on t' gloorious Day o' Judgement!'

T' Idle Rich — an' a Poor Widder-woman

T' fust o' these tales wor telled bi Jesus when a feller wor fratchin' wi' 'is brutther ovver t' property the'd been left when the'r fatther deed …

The'r wor once a farmer 'at 'ad done reight well fer 'issen an' med a lot o' brass.

'What mun Ah do?' 'e thinks. '*I* know! Ah'll pull dahn all mi laithes, an' build bigger uns, an' then Ah can stooare all mi corn an' all t' other stuff, an' Ah can say ter missen: "Well done, lad! Tha's all tha needs fer monny a year. Tak things easy! Tha can eyt an' sup ter thi 'eart's content!"'

But God speyks, an' says to 'im:

'Ee! Tha's a reight fooil! This neet tha's bahn ter dee. What'll 'appen then to all this 'at tha's stooared up fer thissen? Tha can't tak it wi' thi, tha knaws.'

'That's what 'appens ter fowk 'at pile up brass fer thersens', said Jesus, 'An' are as poor as paupers as far as t' Almighty's concerned.'

Ther' wor another rich feller wi' mooare brass ner 'e knew what ter do wi'. Tha nivver saw nowt like it! Talk abaht expensive clooase! An' as fer 'is meals, well, 'e lived i' t' lap o' luxury ivvery day, an' nivver wanted fer nowt.

Nah, ther' wor a beggar-man called Lazarus, in a reight poor way, 'e wor, wi' runnin' sooares all ovver 'is owd body. 'Is mates used ter carry ’im an’ lig ’im dahn ahtside this rich feller’s dooar — an’ theeare ’e’d wait, ’opin’ ’e might get a few scraps o’ food left ovver from t’ rich man’s table — stuff ’at the’ chucked aht onter t’ middins.

Ee, what a pitiful object ’e looked! An’ d’ yer knaw, t’ dogs came an’ licked ’is sooares — an’ ’e wor that weak ’e could do nowt abaht it.

Well, what a mercy it wor when ’e deed, an’ wor carried bi t’ angils up to ’eaven, ter bi comforted in t’ bosom of Abraham.

Then t’ rich feller deed — an’ ’ad a grand fewneral. But *’e* went streight ter t’ fires of ’Ell — an’ from theeare ’e could see Abraham, wi’ Lazarus in ’is arms.

‘Oh, Fatther Abraham!’, ’e calls aht. ‘Tak pity on mi! Ah’m i’ terrible torment i’ these ’ere flames, an’ mi throit’s that clemmed Ah cannot bide it! Send yond Lazarus so ’e can nobbut dip ’is finger i’ watter ter cooil mi tongue!’

‘Nay, lad’, replied Abraham, ‘Tha mun remember ’at tha’d nowt but t’ best when tha wor alive — while poor Lazarus ’ere ’ad t’ worst — an’ tha did nowt for ’im, nawther. Well, nah t’ tables is turned, an’ ’e’s i’ comfort, an’ thee in agony … An’ Ah’ll tell thi summat else. Ther’s a gurt gulf between thee an’ us — an’ wi can’t pass ovver it, choose *’ah* wi try.’

‘Well’, said t’ rich feller, ‘If Lazarus can’t come ter me, send ’im ter tell mi five brutthers. At least ’e could warhn ’em, an’ stop ’em comin’ to this place o’ torment.’

‘Nay’, said Abraham, ‘The’ knaw all abaht it. The’ve got Moses an’ all t’ prophets ter listen tul.’

‘Aye’, said t’ rich feller, ‘but if someb’dy went back tul ’em after ’e wor *deead*, then the’d *really* listen to ’im.’

‘Nay’, said Abraham, ‘If fowk weean’t listen ter Moses an’ t’ prophets, the’ll tak no ’eed even if someb’dy wor ter go back tul ’em after ’e wor deead.’

'Oh, Fatther Abraham! Ah'm i' terrible torment i' these 'ere flames!'

One day, after the'd arrived i' Jerewsalem, Jesus 'appened ter bi sittin' wi' 'is disciples ovver agen t' treasury — a gurt collection-box fer fowk ter put the'r brass in as the' went in an' aht o' t' Temple. An' Jesus nooaticed 'at a lot o' t' fowk 'oo wer' nicely off chucked in a fair amahnt o' brass. Oh, aye. The' med a reight show on it, an' all. But then along comes a poor widder-woman — an' all sh' puts inter t' box is two copper coins.

'Sither!', said Jesus ter t' disciples. 'Yon poor owd lass 'as put mooare inter t' collection ner all t' rest on 'em!'

'Nay', said t' disciples, 'Sh's nobbut put in a couple o' coppers! What does-ta mean, Lord?'

Ah reckon 'at some on 'em thowt 'at Jesus wor 'avin' 'em on — it seeamed such a daft thing ter say.

'Nah, come on lads', says Jesus. 'When tha thinks abaht it, tha'll see what Ah mean. These 'ere rich fowk 'ave so much brass the' nivver miss owt the' put inter t' collection. It's nut much of a sacrifice ter give a quid if tha's thahsands in t' bank, is it? But yon poor widder-woman, strugglin' along on a bit of a pension, 'ad nowt left but two coppers — but sh' thoiled it, an' put it in, all t' same! It's nut 'ah much tha gives. It's 'ah much tha can *affooard* ter give. That's what matters! So yon well-ter-do fowk wer' mean an' grudgin' — real nip-screws some on 'em — 'cos the'd that much brass ter spare the' could 'a gi'en a small fortune. An' yon poor owd lass wor mooare gen'rous ner all t' lot on 'em put tergether … Mind this, lads. Nivver let yersens bi ta'en in bi appearances!'

All t' bairns joined in, an' all.

Jesus Rides inter Jerewsalem on a Mooak

On t' fust day o' t' week afooare t' Passover Jesus an' t' disciples wer' walkin' dahn t' Mahnt of Olives, makkin' fer Jerewsalem. Jesus let on 'at 'e wor bahn ter ride inter t' city in style — just as t' prophets 'ad said t' Messiah 'ould one day do.

'Then wi mun finnd thee an 'oss, Lord', said one o' t' disciples.

'No', said Jesus. 'What does t' Scripture say? T' prophecy o' Zechariah — "Behold! Thy King cometh unto thee — lowly, riding upon a *donkey* ... " An 'oss is a symbol o' t' Roman sodgers an' military might. A donkey is a symbol o' peace an' gentleness.'

'Well, wi mun finnd thee a mooak, then', said t' disciples.

'It's all arranged', said Jesus. 'Ah want two on yer ter go inter t' village yonder, an' yer'll finnd a mooak teed up. It's a young 'un 'at's nivver been ridden afooare. Untee it — an' if onnybody says "What's tha doin'?" just say tul 'em, "T' Lord 'as need on it — but 'e'll send it back as sooin as 'e's done wi' it".'

So t' two on 'em set off, an' the' fahnd this 'ere young mooak near t' cross-rooads, teed up ahtside t' 'ahse, just as Jesus 'ad said. The' wer' agate unteein' it when t' awner comes aht an' starts playin' hummer.

'Ey! What does-ta think tha's doin'?', 'e bawls.

'T' Lord 'as need on it', the' replied. 'Wer' nobbut lendin' it. It'll sooin bi back.'

T' awner suddenly changed 'is tune an' let 'em tak it. Jesus 'ad evidently arranged it all afooare, tha sees, an' 'T' Lord 'as need on it' wor a sooart o' password ter keep it secret, like — 'cos 'e didn't want t' Scribes an' t' Pharisees ter stop this ride inter Jerewsalem.

Well, the' browt t' mooak ter Jesus, an' 'e strooaked it an' talked to it a bit, knawin' 'at it 'ad nivver been brokken in an' nivver been ridden afooare. T' disciples put a coit o' two on t' animal's back ter mak a bit of a saddle, an' then 'elped Jesus onto it.

Off the' went, t' mooak trottin' dahn past t' Gardin' o' Gethsemane an' up towards t' city. As the' drew near t' gates, t' procession went nice an' gently — an' t' disciples started doffin' the'r coits an' liggin' 'em dahn in t' rooad i' front o' t' mooak. It wor ter gi'e Jesus a royal welcome, tha sees — so's t' mooak didn't 'ave ter walk ovver mucky grahnd.

Well, crahds o' folk started gatherin' on booath sides o' t' rooad inter Jerewsalem — mooast on 'em followers o' Jesus 'at 'ad come thru Galilee fer t' Passover. When the' saw 'at t' disciples wer' liggin' the'r coits in t' rooad, the' started doin' t' same — an' then some on 'em cut dahn branches off t' palm trees an' started liggin' 'em i' t' rooad — an' wavin' 'em abaht, an' all.

All t' fowk wer' smilin' an' laughin' — an' gatherin' all rahnd Jesus — an' shahtin' o' tops o' the'r voices:

'*Hosanna*! God save t' King 'at comes in t' name o' t' Lord!'

An' all t' bairns joined in, an' all, callin' aht i' the'r little pipin' voices: '*Hosanna* ter t' Son o' David!'

It wor a reight grand do, this ride inter Jerewsalem — Jesus bein' welcomed as t' Lord's Anointed …

Ah, but the'r wer' some on 'em 'at didn't like this one bit — t' Pharisees an' such-like.

'Sither, maister!', one o' t' Pharisees bawls aht ter Jesus. 'Listen 'at what fowk are sayin'! The're callin' *thee* t' Messiah! That's blasphemy! Tha mun tell 'em ter shut up!'

'Nay', says Jesus, 'If Ah tell these fowk ter keep silence — then t' stooanes i' t' rooad 'll cry aht!'

T' procession ended up at t' Temple — a marvellous gurt buildin' put up bi King Herod. T' courtyard wor full o' noisy crahds, changin' the'r brass ter get rid o' t' Roman coins, an' buyin' an' sellin' doves fer sacrifice — an' ther' wer sheep an' cattle an' all sooarts — just like a bloomin' market! Jesus walked abaht, lookin' at it all, but 'e said nowt. Then wi' t' disciples 'e left t' city, sent t' mooak back, an' stayed aht at Bethany — wheeare the' knew the'd all bi safe.

T' next mornin', though, Jesus went back inter Jerewsalem an' streight ter t' Temple courtyard. Suddenly t' disciples 'eeard 'im bawlin' aht, an' saw 'im knockin' ovver t' tables o' t' money-changers an' t' dove-sellers, an' then the' saw 'im sam up a two-a-thri lengths o' rooape an' use 'em like a whip ter drive aht all these fowk — an' all t' sheep an' cattle. What a commotion! What a carry-on! T' disciples thowt Jesus 'ad gone barmy!

'It's written i' t' Scriptures', Jesus shahted above all t' noise, 'My Temple shall bi an 'ahse o' *prayer* fer all t' nations o' t' world — An' — shame on yer! — yer've turned it into a rowdy market, an' a den o' thieves!'

Well, that wor t' last straw as far as yon Scribes an' Pharisees an' preeasts wer' concerned. The' started lookin' fer a way ter rid thersens o' Jesus, once an' fer all. An' it wor sooin after that 'at the' did a deal wi' Judas Iscariot — one o' t' twelve disciples … Why ivver did Judas do it? Fer t' brass? Nay. It wor nobbut fer thirty pieces o' silver — abaht a month's wages, that's all. Some say it wor simply 'at Satan took 'od on 'im. Others think it wor 'cos Judas wanted t' sooart o' Messiah 'oo'd raise a gurt army an' drive aht t' Romans — nut a peace-lovin', gentle sooart o' Messiah, ridin' on a mooak.

Arguments wi' t' Scribes an' Pharisees

Nut long after Jesus 'ad fettled t' money-changers, 'e wor walkin' through t' Temple when up comes a crahd o' Scribes an' Chief Preeasts, ready ter start the'r chunterin' and threeapin'.

'Wheeare's thi authority, then?' they axed 'im. 'Wheeare's tha got leave ter do what tha's doin'?'

'Fust let *me* put a question', replied Jesus. 'What abaht John the Baptist? What reight 'ad *'e* ter baptise fowk? Did it come from God — or from man?'

Well, that fair flummoxed 'em. The' thowt ter thersens: if wi say 'from God', 'e'll say 'Why didn't yer believe John, then?' An' wi dursn't say 'from man', 'cos mooast fowk think John wor a real prophet. So the' just said, 'Wi dooan't knaw'.

'Then Ah s'll nut say what *my* authority is', replied Jesus.

Then Jesus telled 'em one of 'is last parribles ...

Ther' wor once a well-ter-do land-awner 'oo set up a grand neew vineyard. 'E put up a strong fence all rahnd it, dug aht a gurt 'oile fer t' wine-press, an' built a watch-tower. In other words, 'e med a reight gooid job on it.

Then t' awner let 'is vineyard aht ter tenant-farmers — an' off 'e went abrooad. When it got ter t' back-end 'e sent a servant ter these 'ere tenants so 'e could 'ave 'is share o' t' profits from t' 'arvest.

Well, t' tenants grabbed 'od o' this servant, brayed 'im summat shockin', an' sent 'im off empty-'anded. So t' awner tried ageean, an' sent another servant. This time t' tenants clahted 'im on t' 'eead, an' 'ooined 'im summat crewel. T' awner sent yet another servant — an' this man the' murdered.

All t' servants 'e sent wer' awther shamefully tret or killed bi these wicked tenants. But t' awner thowt 'e 'd try just once mooare. All 'e 'ad left ter send nah, though, wor 'is awn son.

'Sewerly', 'e thowt, 'The'll show respect fer mi awn son!'

When the' saw 'im comin' inter t' vineyard t' tenants said ter thersens:

'Ey! This is t' son — an' one day 'e 'll bi t' awner. Wi mun kill 'im, an' then t' vineyard 'll belong to us!'

So the' grabbed 'od o' t' son, an' killed 'im, then chucked 'is body ovver t' fence.

'Nah, then!' said Jesus. 'What d' yer think t' awner o' t' vineyard's bahn ter do? 'E'll come back an' fettle these tenants! 'E'll kill 'em all, an' 'and t' vineyard ovver to other fowk. 'Ave yer nut read i' t' Scriptures?

T' stooane 'at t' builders thowt wor no use
'As nah getten ter bi t' chief corner-stooane.

T' religious leaders wer' blazin' angry at this tale an' all 'at Jesus 'ad said, an' some on 'em wanted 'im arrested on t' spot. But the' wer' afeeared of all t' ordinary fowk 'at 'ad gathered theeare rahnd Jesus.

A bit later some o' t' Pharisees an' t' followers of Herod 'ad another go at Jesus.

'Maister', one on 'em axed. 'Wi know tha's an honest man, an' tha's nivver flaid ter tell t' plain trewth. Nah, tell us this. Is it reight ter pay taxes ter Caesar — or nut?'

Jesus saw what a cunnin' question this wor. If 'e said 'No', the'd 'ave 'im arrested fer defyin' t' Roman authorities. If 'e said 'Yes', fowk i' t' crahd 'ould think 'e wor a suppooarter o' t' Romans.

'Well', says Jesus. 'Art-ta tryin' ter trap mi, then? Tha knaws Ah've no brass missen — but bring me a silver penny an' wi'll 'ave a look at it.'

So someb'dy browt a coin ter t' front, an' Jesus got 'im to 'od it up an' show it ter t' crahd.

'Nah, sither at this coin', says Jesus. 'Whose face is it? Whose name's written rahnd it?'

'It's Caesar's', some on 'em replied. 'It's t' Roman Emperor.'

'Well then', says Jesus, 'Tha mun give ter Caesar what belongs ter Caesar — an' ter *God* what belongs ter God.'

T' Last Supper

T' last supper wor a secret supper — a bit like yon arrangement abaht t' mooak fer t' ride inter Jerewsalem. Jesus wanted it i' peace an' quiet — an' 'e didn't want t' preeasts an' t' Pharisees an' that ter finnd aht abaht it. So on t' Thursda morn 'e says ter two o' t' disciples:

'Go inter t' city, an' yer'll bi met bi a man carryin' a pitcher o' watter. 'E'll lead yer to an 'ahse, an' theeare yer mun say ter t' awner: "T' maister wants ter knaw wheeare t' room is wheeare 'e 'll eyt t' Passover meal wi' t' disciples." (Another pass-word, Ah reckon.) E'll then show yer an upstairs room, wi' a table an' all 'at wi need. An' yer mun get t' meal ready fer us theeare.'

Well, these two disciples did just as Jesus telled 'em. It wor easy ter pick aht a *man* carryin' a pitcher o' watter, 'cos that's a job 'at's allus done bi women-fowk. The' follered 'im, went up ter t' cham'er, an' got t' meal ready.

It wor gettin' dark bi t' time Jesus an' all t' twelve disciples got theeare. An' the'd a champion Passover meal, wi' lamb as t' main dish. Ther' wor a grand feelin' abaht it, an' all — a feelin' o' companionship, an' all on 'em friends tergether.

Jesus said a lot ter t' disciples abaht 'elpin an' carin' fer one another. An' 'e got up an' took a bowl o' watter an' a towil, an' went rahnd weshin' t' feet o' t' disciples, same as if 'e wor nobbut a servant. When it wor Peter's turn, Peter says:

'Nay, Lord. Ah'll nooan let *thee* wesh *my* mucky feet!'

'Tha'll understand later, Peter', says Jesus.

It wor easy ter pick aht a man *carryin' a pitcher o' watter.*

'Nay, Lord. Tha'll nivver wesh mi feet!'

'Unless tha let's mi, Peter, tha'll nivver be a trew disciple o' mine', says Jesus.

'All reight, Lord!' says Peter. 'In that case tha can wesh mi feet — an' mi 'ands an' face an' all!'

Nah the' wer' gettin' on wi' t' meal an' really enjoyin' thersens, when Jesus suddenly says:

'Ther's one on yer sittin' 'ere 'at's bahn ter betray mi!'

Well, the' wer' all struck dumb! What ivver did 'e mean? At fust tha could 'ave 'eeard a pin drop. Then they all started talkin' at once:

'Nay, Lord! Nay!', t' disciples wer' sayin'. 'Sewerly tha doesn't mean *me*!'

Then Jesus leaned ovver t' table an' took a bit a food from t' dish in t' middle — one 'at they all shared.

'It's one of *you*', says Jesus. 'One 'oo's been dippin' 'is fingers inter this varry dish!'

After that t' disciples felt reight uneasy — as though summat terrible wor bahn to 'appen. An' it wor even mooare solemn when Jesus called fer silence, lifted up a piece o' bread, an' said:

'This is my body — brokken fer *you*!' An' 'e brok it inter pieces — an' becos it wor t' unleavened Passover bread, 'ard like biscuit, it brok wi' a crack. Then 'e shared it aht among t' disciples.

Next Jesus lifted up a big cup o' wine, blessed it, an' then said:

'This is my blood — shed fer you, an' fer monny another, ter bring fergiveness o' sins'. An' Jesus passed rahnd yon cup o' blood-red wine, an' all on 'em supped from it.

After that the' sang a Passover psalm, an' abaht midneet the' left t' cham'er an' med the'r way aht o' t' city ter t' Gardin o' Gethsemane at t' fooit o' t' mahnt of Olives — all bar Judas, that is. Judas 'ad sneaked aht some time durin' t' Supper, ter tell t' sodgers wheeare the' could finnd Jesus wi' just a feew disciples. The' dursn't arrest 'im in brooad dayleet, tha sees, 'cos Jesus wor that pop'lar wi' t' public.

As the' got near t' Gardin — a quiet place Jesus liked ter use — 'e started talkin' tul 'em abaht what a serious job it wor bahn ter be.

'This neet', says Jesus, 'All on yer 'll loss yer faith ... As it says in t' Scripture "I will smite t' Shepherd — an' t' sheep 'll scatter"!'

'Nay, Lord!', says Peter, 'Ah s'll nivver loss *my* faith!'

'Tha will', says Jesus. 'Afooare dawn — afooare t' cock craws twice — tha'll 'ave disawned mi three times.'

'Nay, Lord!' says Peter. 'Ah'll *nivver* disawn thee — even if Ah go ter prison wi' thi — even if Ah mun dee wi' thi!'

An' all t' other disciples said t' same.

Jesus is Ta'en Prisoner

When the' got ter t' Gardin o' Gethsemane, Jesus says ter t' disciples:

'Nah sit yersens dahn — while I go ovver yonder ter pray.'

'E took three on 'em wi' 'im — Peter an' t' brutthers James an' John.

'Ah'm reight 'eart-sluffened', says Jesus, 'Ah want you lads ter stay 'ere an' keep watch.'

Then Jesus went a few yards further on an' threw 'issen full length on t' grahnd.

'*Abba*!', 'e prays. (That's t' Jeewish word fer 'Fatther', tha knaws.) '*Abba*! If it's nobbut possible let mi nooan 'ave ter sup from this cup!'

T' cup 'e meant wor t' cup 'e'd talked abaht at t' Last Supper — a cup o' blood, t' Roman crewcifixion.

'Even so, Fatther', Jesus prays, 'It's nooan *my* will, but *thine*! That's what matters.'

Jesus wor i' mortal agony. T' three disciples could tell that bi t' way sweat fell from 'is brah — same as gurt drops o' blood fallin' ter t' grahnd.

After a while Jesus came across ter these three — an' fahnd 'em all fast asleep.

'Simon Peter!', 'e says, shakkin' im bi t' showlder, 'Couldn't ta stay awake fer nobbut one 'ahr? Tha mun keep watch — an' tha mun pray — or tha'll fall inter temptation. Aye. Thi *sperrit's* willin', all reight. It's thi flesh 'at's weak.'

Jesus went off ter pray a second time — an' the' dozed off ageean! 'E wekkened 'em up ageean, tellin' 'em ter keep a watch fer t' sodgers comin' from t' city.

When Jesus came back t' third time, 'e says, 'All reight, lads. Yer can sleep on nah, an' tak it easy ... It's all ovver. Ah've been betrayed inter t' 'ands o' wicked men. Sither! 'Ere comes t' betrayer!'

Suddenly ther' wer' fowk swahrmin' up t' 'illside — t' sodgers o' t' Temple Guard sent bi t' preeasts an' t' Scribes. The'd blazin' torches, an' swords an' spears 'at wer' gleamin' i' t' torchleet.

'Ah'll show yer which one it is', Judas wor sayin'. 'T' one Ah kiss on t' cheek — That'll bi yer man. Grab 'im, an' 'od 'im fast!'

Peter dreew 'is sword an' went towards t' sahnd o' t' voice. But afooare 'e could reach 'im, Judas 'ad fahnd Jesus:

'Maister! Maister!', says Judas, reckonin' ter bi all friendly, an' kissin' 'im on t' cheek.

'Judas!', cries Jesus. 'Ter think tha could betray t' Messiah wi' a kiss!'

T' sodgers grabbed 'od o' Jesus — but Peter struck aht wi' t' sword, fetchin' one on 'em — a feller called Malchus, t' servant o' t' 'Igh Priest — a reight claht across t' face, nearly cuttin' off 'is reight lug.

Peter wor bahn ter strike aht ageean, when Jesus shahted to 'im:

'Put back thi sword, Peter! Doesn't ta knaw 'at them 'at taks ter t' sword 'll *dee* bi t' sword? Doesn't ta knaw 'at if Ah'd *wanted* ter defend missen Ah could 'ave prayed fer twelve legions of angils ter come an' feyt fer mi?'

Then Jesus reyched aht 'is 'and, an' touched t' lug o' t' man Peter 'ad wounded, an' stopped t' bleedin'.

It wor plain 'at Jesus wor bahn ter go quietly — but nut afooare 'e'd spokken 'is mind ter t' preeasts an' Scribes an' that.

Peter fetched him a reight claht across t' face, nearly cuttin' off 'is reight lug.

'What's all this, then? Am Ah some sooart o' criminal 'at yer've come wi' swords an' cudgels ter tak mi prisoner? Day after day Ah've been preychin' in t' Temple — an' yer've nut laid so much as a finger on mi! An' nah yer've sneaked 'ere under t' cover o' darkness … It's all comin' abaht just as t' Scriptures say it will!'

Then t' sodgers took Jesus away, an' t' disciples — fer all 'at the'd sworn ter go ter prison wi' 'im — ran off as fast as the'r legs 'ould carry 'em.

Jesus is Tried afooare Caiaphas

It wor still dark when Jesus wor browt inter t' palace o' Caiaphas, t' 'Igh Priest, afooare a gurt crahd o' Jeewish big-wigs — chief preeasts, elders, Scribes an' fowk o' that sooart. Nowt wor plainer ner the' wanted ter get t' job ovver an' done wi', so this preycher thru t' north could bi got rid on afooare t' Passover Sabbath.

Ah bet some on 'em wer' reight vexed at bein' called aht o' the'r wahrm beds, 'cos the' wer' nithered standin' abaht waitin'. Just ahtside, i' t' courtyard, t' guards an' t' servants 'ad lit a nice fire.

The' didn't seeam ter nooatice 'at the'd been joined bi a stranger, wahrmin' 'is 'ands an' cahrin' quiet. It wor Peter, 'oo'd been follering at a distance. It's thanks ter Peter 'at wi knaw what 'appened at this so-called trial.

After a bit Caiaphas came in, an' t' witnesses wer' called. Peter couldn't catch all 'at went on, but seeamin'ly t' witnesses wer' tellin' all sooarts o' different tales, an' no two on 'em agreed. But then two fellers said the'd both sweear 'at the'd 'eeard Jesus say this: 'Ah s'll pull dahn this Temple med bi 'uman 'ands — an' three days later Ah s'll build another, nut med bi 'uman 'ands.'

Well, that wor enough fer Caiaphas ter think 'e could move t' job on.

'Nah, then', 'e said ter Jesus. 'Tha's 'eeard all this evidence spokken ageean thi. What does-ta say fer thissen? Come on! Speyk up!'

But Jesus wouldn't answer 'im, choose 'ah much 'e kept on

axin' 'im. T' 'Igh Priest wor lossin' patience nah, an' gettin' in a reight 'igg. Suddenly 'e says ter Jesus:

'Sither! Let's stop mullockin' abaht, an' get dahn ter brass tacks. Just answer this one question: On thi solemn oath, art thou t' Messiah — t' Son o' the Livin' God?'

'I am *that*!', says Jesus in a strong, clear voice. 'An' tha'll see t' Son o' Man sittin' on t' reight-'and o' t' Almighty, ridin' on t' clahds of 'Eaven!'

Well, ther' wor a gurt rooar from all t' fowk i' t' court.

'Blasphemy!', the' bawled aht. 'Blasphemy!'

An' ter show 'at blasphemy 'ad been committed, Caiaphas did what t' Jeewish law said 'e should do — 'e took 'od of 'is coit an' *rived* it. (It wor is *awn* coit 'e rived, think on — nut t' coit o' Jesus, 'as Ah've seen 'em show i' some o' them theeare Bible fillums.)

'By Gum!', says Caiaphas. 'Ther's no need o' witnesses nah! Yer've all 'eeard 'im commit blasphemy. So what do yer say?'

An' the're all yellin' aht 'at Jesus mun bi put ter deeath — 'cos that's what it says in t' Jeewish law.

T' next thing at Peter knew wor 'at sodgers wer' ill-treatin' Jesus — spittin' at 'im an' brayin' 'im. Then the' put a blinndfowld on 'im an' kept clahtin' 'im.

'Wi 'eear tell tha reckons ter bi a prophet', the' jeered. 'Well prophesy 'oo's bahn ter claht thi next!'

Then one o' t' servant lasses nooaticed Peter, an' t' way 'e wor lookin' at Jesus.

'Ey up!' says t' lass. ''Ere's a chap 'oo looks as if 'e feels reight sorry fer 'im. Ah bet tha's one o' t' mates o' this Jesus o' Nazareth.'

'Ah dooan't knaw what tha's on abaht', says Peter. 'Ah knaw nowt abaht 'im!'

'E got up an' walked ovver ter t' gate-way, an' as 'e did so 'e nooaticed 'at t' cocks 'ad started crawin'.

T' lass browt one or two o' t' lads ovver ter t' gate-way an' said: 'Sither! 'E's *one* on 'em!'

'Ah've nowt ter do wi' t' prisoner!', shahts Peter. 'Ah sweear Ah 'aven't.'

'Come off it', said one o' t' lads. 'Tha's from t' north, from Galilee — wi can tell bi t' way tha talks.'

Well then Peter started cussin' an' sweearin' like a reight fisherman. 'What the hengments 'as *that* got ter do wi' it?' 'e yelled. 'Ah tell yer Ah dooan't damn well *knaw* 'im!'

Well, these lads went away — but Peter nooaticed 'at t' cocks wer' crawin' ageean. 'E thowt o' what Jesus 'ad said abaht 'ah 'e'd deny 'im — an' 'e brok dahn an' started rooarin' like a babby.

Jesus is Tried afooare Pilate

T' trial afooare Caiaphas wor a reight rushed job, as Ah've said, an' at fust leet o' dawn the' called a full cahncil meetin', like, knawn as t' Sanhedrin. 'Ere it wor passed 'at Jesus mun bi 'anded ovver ter t' Romans ter face a proper trial afooare Pontius Pilate, t' Roman Governor.

So the' clapped Jesus i' chains an' took 'im ter t' Praetorium, t' Roman 'eadquarters. All t' enemies o' Jesus wer' theeare — elders, preeasts, Scribes, Pharisees, Sadducees — but ther' wor no mention o' this 'ere charge o' blasphemy. Knawin' 'at Romans 'ad no interest in t' Jeewish religion, t' cunnin' beggars moved ovver ter politics — an' said 'at Jesus wor reckonin' ter bi a rival king ter Caesar.

So t' fust question Pilate put ter Jesus wor this:

'*Art* thou t' King o' t' Jeews?'

'Aye', replied Jesus, 'But nut t' sooart o' king tha's thinkin' on. This kingdom o' mine is aht o' this world.'

Then t' chief preeasts started sayin' no end o' spiteful things abaht Jesus, claimin' 'at 'e 'd set 'issen up ageean t' Romans.

'What does-ta say abaht all this, then?' Pilate axed Jesus. 'Speyk up, an' defend thissen!'

But Jesus wouldn't say owt. 'Appen it wor 'cos 'e thowt all the'd said deserved ter bi tret wi' contempt. 'Appen 'e wor thinkin' o' yon prophecy of Isaiah — abaht t' Messiah bein' like a lamb led ter t' slaughter, an' nivver openin' 'is mahth.

Pilate wor fair capped 'at Jesus wouldn't say owt in 'is defence.

But 'e could see the' wer' nobbut trumped-up charges, so 'e thowt 'e 'd finnd a way ter release 'im. Ther' wor a custom, tha sees, o' lettin' a prisoner go free ivvery Passover. It wor summat t' Romans did ter humour t' Jeews, an' keep t' peace.

'Nah, then', says Pilate ter t' crahd.' 'Seein' as 'ah it's Passover Ah suppooase yer'll expect mi ter release a prisoner. An' Ah've a mind ter set free this 'ere "King o' t' Jeews".'

'Nay!', fowk started bawlin' aht. 'Nay! it's *Barabbas* tha mun set free! Wi want Barabbas!'

Well, Barabbas wor t' *last* person t' Romans wanted ter let go. 'E wor a bandit, an' a Zealot — one o' t' terrorists 'at wer' tryin' ter get shut o' t' Romans. An' the' said 'e'd committed murder, an' all.

But t' crahd wer' chantin' away, 'Barabbas! Barabbas!', an' Pilate couldn't reason wi' 'em.

'If Ah let Barabbas go', says Pilate, 'What shall Ah do wi' this man yer call t' King o' t' Jeews?'

The' bawled aht: 'Crewcify 'im!'

'Why?' shahted Pilate. 'What 'arm 'as 'e done?'

The' bawled aht even lahder: 'Crewcify 'im!'

'This man 'as done nowt ter deserve crewcifixion', says Pilate. 'Ah s'll 'ave 'im flogged, an' then let 'im go.'

But t' uprooar wor wahr ner ivver nah. The' wer' yellin' aht at t' tops o' the'r voices:

'If tha let's 'im go tha's nooan a friend o' Caesar!'

An' Pilate 'ould bi thinkin' 'at if it wor knawn i' Rome 'at 'e released a rival 'king', then ther'd bi hummer ter play. But 'e still 'esitated.

'Shall Ah crewcify this "king" o' yours?', says Pilate.

'We've nobbut *one* king — an' that's Caesar!', the' said — lyin' through the'r teeth, o' course, 'cos all t' Jeews 'ated Caesar.

Well, then the' started bawlin' aht ageean 'at Jesus mun bi

Pilate called fer a bowl o' watter.

crewcified. Pilate tried ter mak ’issen ’eeard ovver t’ noise, but ’e couldn’t ’ear ’issen speyk. So ’e called fer a bowl o’ watter — an’ then ’e weshed ’is ’ands ter show t’ crahd ’at ’e wouldn’t tak onny blame fer t’ deeath o’ Jesus.

But ’e’d gi’en in tul ’em, all reight. An’ Jesus wor ta’en away ter bi flogged — which is what t’ Romans allus did afooare a crewcifixion. Then t’ sodgers started makkin’ spooart of ’im — same as t’ others ’ad done when the’d mocked ’im as a prophet. Nah the’ mocked ’im as a king. The’ put a centewrion’s purple clooak rahnd ’im, an’ rammed a crahn o’ sharp thorns on ’is ’eead. An’ the’ got a stick an’ shoved it in ’is ’and, an’ then reckoned ter cahr dahn afooare ’im, sayin’:

‘Hail! King o’ t’ Jeews!’

Some on ’em spat at ’im. Others grabbed t’ stick an’ brayed ’im wi’ it ... An’ then, when the’ wer’ stalled o’ the’r spooart, the’ led ’im aht o’ t’ city ter bi crewcified.

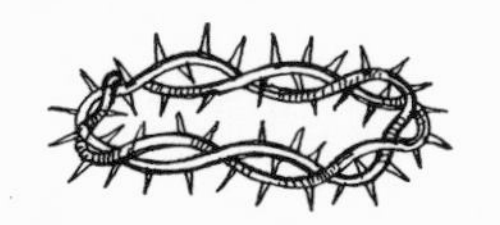

T' Crewcifixion

At-after t' sodgers took t' prisoners aht to a place knawn as t' Skull 'Ill — what t' Jeews called i' *their* tongue 'Golgotha', an' t' Romans called 'Calvary'. It wor a grim sooart o' place, just ahtside t' city walls, an' nut far from a rooad throng wi' fowk — just t' spot fer makkin a public mockery o' some poor sowl.

Well, as sooin as the' get theeare, t' centewrion jumps off 'is 'oss an' starts bawlin' aht orders to 'is men. T' sodgers lig t' cross-beams on t' grahnd, then shove t' three prisoners on top. Ter gi'e Romans the'r dew, the're deeacent enough to offer t' victims summat to 'elp ter deeaden t' pain — a sup o' wine mingled wi' myrrh. But when they offer it ter Jesus 'e shaks 'is 'eead, an' says nay, but 'e's bahn to tak t' full brunt o' t' pain an' sufferin'.

So the' stretch aht 'is arms, sam up the'r 'ammers, an' bray gurt nails through 'is 'ands an' feet, fastenin' 'im ter t' wood as calm as yer please. The' thowt nowt abaht it. It wor summat the'd 'ad ter do umpteen times afooare.

Jesus cries aht wi' t' agony, but 'e says some words an' all — words 'at mak t' sodgers feel ashamed o' thersens. Wheeareas t' two thieves cuss and sweear, Jesus starts ter pray fer 'is tormenters.

'Fatther', he calls aht, 'Fergive these lads — the' dooan't understand what it is the'r doin'!'

It wor just nine o'clock when the' shoved t' crosses inter t' sockets. All t' centewrion an' 'is men 'ed ter do nah wor ter stay theeare an' wait fer three men ter dee. So ter pass t' time on the' gat aht the'r dice an' started gamblin' fer t' clooase 'at the'd

It wor summat t' Romans 'ad done umpteen times afooare.

stripped off Jesus — specially t' coit, 'cos it wor a grand bit o' material, an' t' whole coit wor wovven aht of a single piece of 'ome-spun.

Bi this time quite a crahd 'ad gathered, an' some on 'em — preeasts an' Scribes an' Pharisees an' such-like — started makkin' a mockery o' Jesus. 'Why doesn't ta come dahn from yon cross, then? Eh? Come on! Tha mun *save* thissen! Nay! If tha's t' King o' t' Jeews, tha can sewerly come dahn from yon cross! Do *that* — an' we'll *believe* thi!'

'The're reight', muttered one o' t' thieves. 'Nah, Jesus. If tha's what tha *reckons* ter be — t' Messiah, an' all that — tha could save thissen, an' us two inter t' bargin!'

'Thee shut thi gob!' shahted t' other thief. 'Ah'm capped tha's nut flaid ter face t' Judgement o' t' Almighty, same as I am. Nay, us two are gettin' nowt ner mooare ner wi deserve. But *this* gentleman's done nowt wrong!' Then, varry quiet an' serious, like, 'e said ter Jesus: '*I* believe tha's a king. When tha comes inter thi kingdom, Lord, tha'll remember me, weean't-ta?'

'Ah will *that*', said Jesus. 'This varry day, lad, tha's bahn to be wi' me i' Paradise!'

Then Jesus saw 'is mutther, Mary, standin' theeare — such a sorrowful object — an' young John tryin' ter comfort 'er. 'See, Mutther', said Jesus. 'Theeare's a neew son fer thi. John'll look after thi, dooan't thee *fret*!' An' then 'e just said ter John: 'From nah on, this is thi mutther! Look after 'er, lad!'

Well, when it gat ter bi abaht nooin-time, t' sky began ter come ovver all strange an' dark, an' it stayed like that fer three 'ahrs. Then, all of a sudden, at abaht three o'clock i' t' afternooin, Jesus started tryin' ter recite one o' t' Psalms abaht t' Sufferin' Servant. '*Eloi, Eloi*', 'e began — an' e'd spokken i' such a lahd voice 'at some o' t' fowk standin' theeare gawpin said: ''Eark at 'im! E's callin' fer *Elijah* ter come an' 'elp 'im!'

Then Jesus said summat else — t' only time 'at 'e ivver complained. 'Ah'm thirsty', 'e said. 'Mi throit's clemmed.' So someb'dy ran off an' sooaked a sponge i' wine. Then the' shoved it on t' end of a stick, an' reyched it up to 'im ter moisten 'is lips.

Then Jesus yelled aht wi' a sooart o' cry o' triumph: '*It's all ovver*! *That's t' finish*!' An' just as 'e wor breathin' 'is last, some on 'em 'eeard 'im gasp aht: 'Fatther, Ah yield mi sperrit inter thy everlastin' arms.'

An' suddenly the'r wor a rumblin' an' a tremblin' — one o' them theeare earth tremors — an' t' Temple wor shakked that much 'at t' curtin i' front o' t' sanctewary wor rivven i' two — an' all t' fowk standin' theeare wer' flaid ter deeath.

T' centewrion in charge o' t' job wor as 'ard as nails, a proper owd campaigner, afeeared o' nowt. But 'e seeamed sickened when 'e saw 'at Jesus wor deead. 'E stood theeare fer a minute, lookin' reight full up, an' then instead o' bawlin' aht 'is orders, 'e just said — all reverent, like — 'Tha knaws the'r wor summat abaht this Jesus ... Aye, 'e wor a reight *grand chap*! No wonder fowk said 'e wor t' Son o' God!'

What 'appened on t' Third Day

Standin' bi t' cross wer' t' disciples — an' all t' women 'at 'ad come wi' 'em thru t' north. The' wer' all on 'em brokken up wi' grief — an' nooan on 'em mooare ner Mary, Jesus mutther, 'oo wor bein' comforted bi young John.

T' women wer' watchin' ter see what 'ould 'appen ter t' body o' Jesus, 'cos t' Romans mooastly chucked t' bodies into a pit — an' t' women wanted ter gi'e Jesus a deeacent burial.

Well, a strange thing 'appened. One o' t' Jeewish leaders — a big cahncil man called Joseph of Arimathaea — went ter Pilate to ax permission ter tak t' body an' bury it in 'is awn tomb.

Pilate didn't agree to it streight away. Fust 'e sent fer t' centewrion 'at 'ad been t' ovverseer o' t' crewcifixion. 'E axed 'im a few questions — mainly ter mak certain 'at Jesus wor deead. Then 'e telled Joseph 'at 'e could tak t' body,

So Joseph an' a mate of 'is called Nicodemus came an' lapped Jesus body in a sheet o' neew linen, an' then took it away — follered bi t' women-fowk.

Near t' place o' crewcifixion, ther' wor a gardin — an' that's wheeare Joseph, 'oo wor reight well-off, 'ad just 'ad a tomb cut aht o' t' rock, ready fer when 'is awn time came, tha sees. I' this neew tomb the' ligged t' body o' Jesus, an' across t' entrance the' rowled a gurt rahnd stooane — same as a mill-stooane — which wor t' Jeewish way o' closin' a tomb ter protect t' bodies.

The' nobbut got it done i' t' nick o' time. T' Jeewish law said 'at on t' Sabbath — an' it allus starts on a Frida neet — nob'dy

’ad ter ’ave owt ter do wi’ fewnerals, or even visit a cemetery. So off went Joseph an’ Nicodemus — an’ so did t’ women, thankful ter knaw wheeare Jesus wor buried.

Well, at fust leet o’ dawn on t’ Sunda morn’ — ’cos that wor t’ end o’ t’ Sabbath — t’ women-fowk wer’ on the’r way back ter t’ tomb. The’ wer’ ’uggin spices an’ that, ready ter put on t’ body o’ Jesus — ’cos that wor t’ Jeewish custom, tha sees, an’ these ’ere faithful women wanted ter do t’ job reight.

‘Ee, what abaht yon gurt stooane?’, the’ wer’ sayin’ ter one another. ‘Will wi ’ave t’ strength ter rowl it away?’

When the’ reached t’ tomb the’ got a *reight* shock. T’ stooane ’ad been rowled ter one side — an’ t’ tomb wor wide ’oppen!

The’ plucked up courage an’ went in. Sittin’ on t’ reight-’and side wor a young man dressed i’ white — some on ’em later said it wor an angil.

‘Dooan’t bi afeeared!’ says this young man. ‘Ah knaw y’re lookin’ fer Jesus o’ Nazareth ’oo wor crewcified. Yer’ll nooan finnd ’im ’ere. ’E’s been raised ter life ageean! Sither — this is t’ place wheeare ’is body lay … Nah yer mun go an’ tell t’ disciples — an’ above all Peter — ’at ’e’ll bi back i’ Galilee, an’ that yer’ll see ’im theeare just as ’e said!’

T’ women ran aht o’ yond tomb flaid ter deeath!

At fust the’ dursn’t tell a sowl what the’d seen an’ ’eeard. Then the’ telled Peter — an’ streight away ’e set off wi’ John, t’ two on ’em runnin’ as fast ’as if the’ wer’ in a race.

As John wor younger ner Peter ’e ran faster, an’ arrived at t’ tomb fust. ’E looked through t’ entrance — but wor too flaid ter go in. Peter came pantin’ up, an’ went streight in. T’ tomb wor empty — save fer t’ grave-clooase, liggin’ theeare just wheeare t’ body ’ad been.

Well t’ neews went rahnd among t’ disciples like wild-fire. Some on ’em — Thomas fer one — simply wouldn’t believe ’at

T' stooane 'ad been rowled ter one side — an' t' tomb wor wide oppen!

Jesus ’ad risen. T’ women ’ad got it all wrong, the’ said … An’ then ther’ wor this tale abaht t’ sodgers watchin’ ovver t’ tomb. T’ preeasts an’ t’ Pharisees ’ad gone ter Pilate an’ telled ’im at t’ disciples ’ould try ter steal t’ body. So ’e’d let ’em ’ave a guard ter keep watch. An’ t’ sodgers ’ad run away, scared aht o’ the’r wits ’cos the’d seen a breet shinin’ angil — so the’ said — come an’ rowl away t’ stooane … an’ nah t’ sodgers ’ad been paid a lot o’ brass ter put it abaht at t’ disciples ’ad ta’en t’ body when the’ wer’ dozin’ off …

But strangest tale of all is telled bi Sent John. ’*E* says ’at when Mary Magdalene went ter t’ tomb, sh’ nooaticed a shadowy sooart o’ figure, ’oo said to ’er:

‘Why art-ta weepin’, lass? What is it tha’s lookin’ fo’?’

Thinkin’ it wor t’ chap in charge o’ t’ gardin, Mary says:

‘The’ve ta’en away t’ body o’ Jesus. If tha knaws wheeare ’e is, do tell mi!’

‘Mary!’ says this voice — an’ streight away Mary knew it wor Jesus.

‘Oh, maister!’ sh’ says, an’ tries ter touch ’im — but Jesus tells ’er sh’ may nut touch ’im yet, but sh’ mun go an’ tell t’ disciples …

Then ther’s another strange tale telled bi Sent Lewk. Later on t’ same day — this Sunda — two o’ t’ friends o’ Jesus wer’ walkin’ back ’ooam from Jerewsalem to a village called Emmaus — abaht seven mile away. The’ wer’ agate talkin’, goin’ ovver all t’ terrible things ’at ’ad ’appened, when the’ nooaticed a stranger walkin’ alongside ’em.

‘What’s up?’ axed t’ stranger. ‘You two lads look fair ’eart-sluffened.’

One on ’em, ’oo wor called Cleopas, answered ’im:

‘Aye, wi are *that.* An’ if it caps thi, tha mun bi t’ only man i’ Jerewsalem ’at doesn’t knaw what’s ’appened.’

'An' what's that?', axed t' stranger.

'Why! What the've done ter Jesus o' Nazareth, t' famous prophet. Sewerly tha's 'eeard 'ah t' chief preeasts an' t' elders 'anded 'im ovver ter t' Romans an' got 'im crewcified! T' reason we'r so upset is wi thowt 'at Jesus wor t' one 'at 'ould set Israel free … It wor last Frida it 'appened. But strangely enough, this mornin', when t' women went ter t' tomb, the' couldn 't finnd Jesus body — an' the' said 'at an angil 'ad telled 'em 'e wor alive ageean … Peter an' John went an' fahnd t' tomb empty, all reight — but the' nivver saw Jesus … Ah reckon it's nobbut a tale.'

The' wer' booath ta'en aback when t' stranger says tul 'em:

'Nay! Yer daft, unbelievin' pair! Yer think this can't 'a been t' Messiah, 'cos 'e wor put ter deeath! But t' prophets *telled* us t' Messiah 'ould suffer like this afooare enterin' inter glooary.'

An' then 'e started goin' through all t' passages o' Scripture 'at talked abaht t' Sufferin' Servant o' God.

When the' got ter t' village, t' stranger seeamed as if 'e wanted ter go further.

'Tha's welcome ter stay wi' us', the' said. 'It'll be dark afooare long — so come thi ways in!'

Well, t' three on 'em sat thersens dahn ter supper — an' this stranger picked up t' looaf, said a prayer, then brok it i' pieces an' passed it tul 'em — an' as 'e did so it suddenly dawned on 'em 'oo 'e wor. It wor Jesus 'issen!

An' no sooiner 'ad they awned 'im than 'e seeamed ter fade away an' vanish — like a sooart o' vision.

Off the' went, back ter Jerewsalem, walkin' t' seven mile all ovver ageean, but that excited the' thowt nowt abaht it.

The' went streight ter t' disciples an' telled 'em all 'at 'ad 'appened … An' afooare long Peter, Thomas, an' all t' disciples, 'ad this experience o' seein' Jesus — even when the' went back ter Galilee.

In fact, t' last words o' Jesus wer' spokken i' Galilee, an' the' wer' these:

'Go to all t' nations o' t' world ter finnd disciples, an' baptise fowk i' t' name o' t' Fatther, t' Son an' t' Holy Sperrit. Learn 'em all 'at yer've learned from me — an' think on! Ah s'll allus bi wi' my disciples — reight until t' end o' time.'

Glossary

Words with an unusual spelling because of the way they are pronounced have mostly not been included in the glossary. For example: those with a short vowel in Yorkshire dialect (***finnd***, ***blinnd***, ***watter***, ***mak***, ***tak***, ***oppen***, etc). An apostrophe is used to indicate the short vowel in ***the'*** ('they', pronounced like 'the') and ***sh'*** for 'she'.

Then there are words with a 'ew' sound instead of an 'oo' in parts of the old West Riding (***frewt***, ***neew***, ***Jeew***, etc). Other common West Riding vowels are 'ah' instead of 'ow' (***abaht***, ***aht***, ***dahn***, ***'ahse***, etc), 'ee' instead of 'igh' (***breet***, ***neet***, ***leet***, etc), and the 'ey' sound in ***reight***, ***preych***, ***teych***, etc.

Note that ***nowt***, ***owt***, ***browt***, etc in most parts of the West Riding are pronounced, not to rhyme with 'now', but have the dipthong 'aw-oo'. Double vowels occur in such words as ***agee-an***, ***'ee-ad***, ***goo-id*** and ***afoo-are***. There are also other, more subtle, differences from Standard English, which are not easily conveyed in spelling. The word for 'the', for example, is written as ***t'***, but is mostly pronounced only as a glottal stop.

Finally, some of the words which might look like corruptions, such as ***oft*** (often), ***ax*** (ask), ***telled*** (told), ***starvin'*** (cold), ***learn*** (teach) and the omission of the possesive (eg. ***Jesus coit***) are simply earlier forms and usages which have been retained in dialect.

addle to earn
afooare before
agate occupied, busy (with)
'ah how
allus always
apiece each
'appen perhaps
'at that
at-after afterwards
'awf half
awn own
awn to recognise
'awporth halfpenny-worth
ax to ask

back-end autumn, late on (in year)
badly ill
bahn going
baht without
bairn child
bar except
barm-pot mad, silly person (lit 'yeast jar')
bate to lessen, slacken off
bawl to shout
belong to own, be connected with
bi Gow by God!
bide to bear, to stand (something)
blether bladder, balloon
blether-'eead fool
blew in to squander
brass money
bray to hit, beat, hammer
browt brought
brussen bursting
buck up to cheer up, enliven, hurry
bust to burst
by Gum! my word!, fancy that!, etc

cahr to keep, sit (back), cower
cap to surprise, astonish, beat
cawf calf
cham'er upstairs room, bedroom
champion excellent, outstanding
childer children
chozzen chosen
chuffed pleased
chunter to grumble, mutter etc
claht to hit
claht cloth
claht-'eead fool (lit 'cloth-head')
clemmed parched, dry (with thirst)
coit coat
cop to catch
'cos because

dee to die
dither to tremble
doff to take off
dowter daughter

doy dear (to a child)
drahndid drowned
dursn't daren't

'earken to listen (to)
'eart-sluffened heartbroken
ee(n) eye(s)
ee! (exclamation of surprise, wonder, etc)
'ersen herself
ey up! Look out!, What's this?, etc
eyt to eat

fast stuck, inhibited
fettle put right, deal with, clean, etc
flaid frightened
flaysome terrifying, dreadful
flummoxed bewildered, confused
fowk people
frame thissen get a move on, pull yourself together, get organised, etc
fratch to argue, quarrel
fresh drunk
fret to worry
full up ready to weep
fullock rush
fust first

gat got
gaum heed, attention
gawp to gape, stare
getten got (past participle)
gob mouth
Gow euphemism for 'God'
grand splendid, etc
Gum euphemism for God (cf *by Gum!*)
gurt great

hahivver however
hengment euphemism for 'hell'
hooin (see ***'ooin***)
hummer euphemism for 'hell'

'igg temper
'ippins nappy, swaddling clothes
'issen himself
ivver ever

jannock fair, honorable
jooarum great number, crowd

lad boy, son
laithe barn
lap to wrap
lass girl, daughter
latt lath
learn to teach (as well as 'learn')
leet-gi'en fickle, promiscuous
loss to lose
lig to lie, lay
lug ear
lug-'oile ear-hole

mad angry
mawk surly or unfriendly person (lit 'maggot')
mawk to sulk
mend to get better
meyt meat
middin rubbish heap
middlin' average
missen myself
mistal cowshed
moither to fluster, overwhelm
mooak donkey
mullockin' messing (about)
mun must

na then all right then, etc
nah then well then, etc
nawpins money cadged or dishonestly obtained
nawther neither
nay no (when emphasising contradiction)
ner than
nicely well (in health)
nip-screw miser, mean person
nithered very cold (of person)
nobbut only
nooan not, none
nowt nothing

'od (to) hold
off-comed-un person from elsewhere
'oile hole
on of (eg 'two on 'em')
onny any
onnyrooad anyway
'ooin to harass, hurt, etc
'oss horse
ovverseer man in charge
owd old
Owd Nick the Devil
owt anything
owt ought

pawse to kick
pine to be hungry, long (for)
pitcher large jug
posser-'eead posser-head (of washing implement)

reckon to pretend, claim, imagine, think
reight right; very
rive to tear
rooar to weep (noisily)

sackless ineffectual, weak and silly
sam up to pick up
scrat to scratch
seeamin'ly apparently
sewted pleased (with)
shakked shaken; (***'i bits***) mad, crazy
silin' pouring (down)
sin' since
sither! look (here)!

skrike to shriek
slack-set-up careless, casual
sodger soldier
speyk to speak
speyk saying
stalled tired, fed up
starvin' feeling very cold
summat something
sup drink

ta'en taken
tak to take
teem to pour
ter to, too
termorn tomorrow
thersens themselves
think on to remember
thissen youself
thoil to be willing to give or spend
thowt thought
threeap to argue, complain
throit throat
throng busy, crowded
thru from
traipse to walk wearily
tret treated
trivvit iron stand for pan, etc
tul to (esp before certain vowels)
two-a-thri several (following 'a')

'ummer (see ***hummer***)
'ug to carry

wahr worse
wed to marry; married
weean't won't
wer our
wer' were
wor was
whisht! silence!

yon, yond that, those